Manual de Comunicación Efectiva y Liderazgo en Equipos Sanitarios

Javier Sastre de la Vega y Raúl Ferrer Peña

MANUAL

COMUNICACIÓN EFECTIVA Y LIDERAZGO EN EQUIPOS SANITARIOS

Javier Sastre de la Vega y Raúl Ferrer Peña

Índice

Capítulo 1.

Fundamentos de la Comunicación en el Ámbito Sanitario

Introducción

La comunicación es uno de los pilares fundamentales de la práctica sanitaria. En un entorno donde intervienen múltiples profesionales, pacientes con distintos niveles de comprensión y familiares con elevada carga emocional, la claridad, la empatía y la precisión en el intercambio de información son determinantes. Una deficiencia en la comunicación no solo genera malentendidos, sino que puede repercutir negativamente en la seguridad del paciente y en la coordinación de los equipos.

Este capítulo explora los conceptos básicos, los modelos y las estrategias iniciales para comprender qué es la comunicación efectiva en salud y cómo se manifiesta en la práctica clínica.

1.1 Concepto de Comunicación en Salud

La comunicación es el proceso de transmitir información, pensamientos, emociones o instrucciones de una persona a otra mediante el uso de un canal y un contexto determinado. En el ámbito sanitario, este proceso adquiere una dimensión crítica porque el objeto de intercambio no es solo información, sino decisiones que afectan directamente a la vida y el bienestar de las personas.

La comunicación en salud debe ser:

• Clara: sin ambigüedades ni tecnicismos innecesarios.

• Eficiente: transmitida en el menor tiempo posible, sobre todo en situaciones críticas.

• Empática: respetando la condición emocional del receptor.

• Estructurada: siguiendo protocolos que reduzcan errores.

1.2 Barreras Comunes de la Comunicación Clínica

Dentro de los hospitales y centros sanitarios existen numerosos obstáculos que pueden interferir en la transmisión correcta del mensaje:

• Lenguaje técnico excesivo: dificulta la comprensión por parte de pacientes y familiares.

• Ruido ambiental: en urgencias y consultas concurridas se pierde precisión.

• Fatiga y estrés del personal sanitario: reducen la claridad y el tono.

• Diferencias culturales y de idioma: pueden provocar malentendidos clínicos.

• Jerarquías rígidas: inhiben preguntas o cuestionamientos necesarios.

Cada barrera debe ser reconocida y tratada, pues constituye un riesgo latente de error asistencial.

1.3 Modelos de Comunicación Aplicados a la Salud

Existen varios modelos de comunicación que ayudan a estructurar el proceso:

• Modelo lineal de Shannon-Weaver: emisor, mensaje, canal, receptor y ruido. Útil para entender interrupciones en la comunicación clínica.

• Modelo interactivo: plantea comunicación como un intercambio activo con retroalimentación.

• Modelo centrado en el paciente: contempla factores emocionales, sociales y culturales como parte de la interacción, no solo lo clínico.

En la atención sanitaria, el modelo centrado en el paciente es el más adecuado, ya que integra la dimensión humana con la técnica.

1.4 Impacto de la Comunicación en la Seguridad del Paciente

La Organización Mundial de la Salud (OMS) señala que gran parte de los eventos adversos en los hospitales se debe a fallos en la comunicación. Ejemplos claros:

• Errores de prescripción: por no confirmar la dosis verbalmente.

• Duplicación de pruebas diagnósticas: por falta de información compartida.

• Retrasos en el diagnóstico: por información mal transmitida entre turnos.

La implementación de estándares como el protocolo SBAR (Situación, Antecedentes, Evaluación, Recomendación) reduce hasta un 80% los malentendidos en traspasos de pacientes.

1.5 Comunicación Intrapersonal e Interpersonal

- Intrapersonal: cómo los profesionales reflexionan y procesan su propio pensamiento antes de emitir una indicación. Ayuda al autocontrol en emergencias.
- Interpersonal: el intercambio entre profesionales y de éstos con pacientes o familiares. La calidad de esta relación afecta directamente la satisfacción hospitalaria y la adherencia al tratamiento.

1.6 Ejemplos Prácticos

Ejemplo 1: Error por falta de retroalimentación

En una urgencia pediátrica, el médico indica al residente administrar "dos" de un medicamento. El residente interpreta "dos comprimidos", pero el médico se refería a "dos miligramos". Resultado: dosis inadecuada y riesgo grave para el paciente.

Lección: comprobar verbalmente la instrucción. "Doctor, ¿se refiere a dos miligramos?"

Ejemplo 2: Comunicación centrada en paciente

Un enfermero explica a la familia de un paciente anciano una técnica de movilización. Lo hace con lenguaje claro, mostrando la maniobra y preguntando si desean repetirla. La familia no solo entiende, sino que refuerza la confianza en el hospital.

1.7 Estrategias de Mejora

- Formular mensajes simples y breves.
- Confirmar siempre que el interlocutor entendió.
- Usar técnicas de closed-loop communication (preguntar–responder–confirmar).
- Resumir al final de cada interacción los pasos más importantes.

- Capacitar a equipos de salud en talleres de habilidades comunicativas

Conclusión

La comunicación efectiva en el ámbito sanitario es mucho más que la transmisión de información: es un proceso de seguridad, confianza y coordinación. Al comprender sus fundamentos, identificar las barreras y aplicar estrategias estructuradas, los equipos sanitarios pueden reducir errores clínicos, mejorar la eficiencia y fortalecer la relación con los pacientes.

Capítulo 2.

Liderazgo Sanitario: Modelos y Estilos

El liderazgo en el ámbito sanitario es un factor decisivo para la calidad asistencial, el bienestar del equipo y la seguridad del paciente. No se trata únicamente de ostentar un cargo jerárquico, sino de influir positivamente, coordinar esfuerzos y movilizar recursos, especialmente en escenarios donde el tiempo, la precisión y la comunicación son vitales.

En este capítulo exploraremos distintos modelos de liderazgo aplicados a la salud, estilos clásicos y contemporáneos, el papel del líder en diferentes contextos, y herramientas prácticas para la autoevaluación del estilo propio.

El concepto de liderazgo sanitario

El liderazgo sanitario puede definirse como la capacidad de un profesional de la salud para guiar, motivar y coordinar a un equipo multidisciplinar con el propósito de lograr objetivos comunes: calidad asistencial, seguridad del paciente, eficiencia organizativa y bienestar laboral.

En salud, un líder no solo dirige; también escucha, negocia, inspira y toma decisiones éticas en entornos muchas veces marcados por la incertidumbre.

Características esenciales de un buen líder sanitario

• Capacidad de comunicación clara y asertiva.
• Habilidad para tomar decisiones rápidas y fundamentadas.
• Empatía y gestión emocional en situaciones críticas.
• Promoción de la colaboración interdisciplinar.

• Flexibilidad y adaptabilidad ante la complejidad de los escenarios clínicos.

Estilos clásicos de liderazgo
La teoría organizacional identifica tres modelos tradicionales de liderazgo, que también se observan en hospitales y servicios clínicos.
Liderazgo autoritario
El líder establece directrices claras, controla las decisiones y exige obediencia.
• Ventajas: útil en situaciones de crisis donde se necesita una respuesta inmediata (por ejemplo, reanimación en parada cardiorrespiratoria).
• Desventajas: puede generar desmotivación, dependencia excesiva del líder y baja participación en la toma de decisiones.
Liderazgo democrático
El líder fomenta la participación del equipo en la toma de decisiones.
• Ventajas: fortalece la cohesión, aumenta el compromiso y aprovecha la diversidad de conocimientos (ideal en comités clínicos, sesiones de calidad o diseño de protocolos).
• Desventajas: requiere más tiempo y no siempre es viable en emergencias.
Liderazgo laissez-faire
El líder adopta un rol pasivo y delega por completo en los miembros del equipo.
• Ventajas: favorece la autonomía en equipos altamente especializados y formados.

• Desventajas: puede derivar en falta de coordinación o confusión sobre responsabilidades, sobre todo en urgencias.

Liderazgo transformacional y transaccional aplicado a la salud

En el sector sanitario, además de los estilos tradicionales, se aplican dos modelos de liderazgo muy influyentes en la práctica contemporánea:

Liderazgo transformacional

El líder inspira, motiva y estimula el desarrollo profesional y humano de su equipo.

• En hospitales, los líderes transformacionales son capaces de movilizar a su personal con valores, generando innovación y resiliencia frente a crisis sanitarias (por ejemplo, durante la pandemia de COVID-19).

• Potencian la empatía, la confianza y la autonomía regulada.

Liderazgo transaccional

El liderazgo se basa en reglas claras, recompensas y sanciones.

• En salud, puede observarse en la gestión de protocolos estrictos como seguridad quirúrgica, listas de verificación o normas de bioseguridad.

• Garantiza orden y cumplimiento de estándares, pero no siempre estimula la creatividad.

La combinación equilibrada de ambos enfoques suele dar mejores resultados: la rigidez de lo transaccional asegura el cumplimiento de normas críticas, mientras lo transformacional potencia la innovación y el bienestar del equipo.

El rol del líder en situaciones cotidianas vs. crisis

Liderazgo en la rutina sanitaria

En la práctica diaria hospitalaria, el líder:

- Promueve buenas prácticas clínicas y fomenta protocolos seguros.
- Escucha a su equipo e integra sus aportaciones.
- Gestiona recursos humanos y organiza turnos.
- Motiva al personal y promueve una cultura de aprendizaje.

Liderazgo en situaciones de crisis

En emergencias (accidentes múltiples, pandemias, colapsos hospitalarios), el líder:

- Debe desplegar un estilo más directivo y autoritario para la rapidez y claridad de acción.
- Garantiza la comunicación clara con mensajes breves y directos.
- Asigna roles explícitos y evita duplicaciones de funciones.
- Se ocupa también de la dimensión emocional, conteniendo la ansiedad del equipo.

Casos reales de liderazgo efectivo en hospitales

Caso 1: Jefatura en plena pandemia

En un hospital de Madrid, una jefa de enfermería reorganizó de manera transformacional su unidad de cuidados intensivos en 2020, motivando a su equipo por medio de reuniones breves motivacionales, turnos más humanos y refuerzos de acompañamiento psicológico. Resultado: disminuyó el absentismo, aumentó la moral y la atención fue más eficiente a pesar de la sobrecarga.

Caso 2: Accidente con múltiples víctimas

En un accidente ferroviario, el líder del operativo hospitalario adoptó un liderazgo autoritario en los primeros 30 minutos para asignar tareas directas en triage, quirófano y urgencias. Tras la estabilización, viró hacia un estilo democrático, integrando las opiniones del equipo para la reestructuración de camas y recursos.

Herramientas para autoevaluar el estilo de liderazgo personal
Existen instrumentos que permiten a los profesionales conocer su estilo de liderazgo predominante y reflexionar sobre su impacto.
Test de estilos de liderazgo
Se utilizan cuestionarios tipo Likert que valoran actitudes, como:
•	¿Cómo tomo decisiones en situaciones de presión de tiempo?
•	¿Escucho a mi equipo antes de decidir?
•	¿Prefiero ser flexible en protocolos o ajustarme estrictamente?
Ejercicio práctico de reflexión
•	Paso 1: Recuerda una situación clínica estresante que hayas vivido.
•	Paso 2: Analiza cómo actuaste: ¿fuiste autoritario, democrático, laissez-faire, transformacional o transaccional?
•	Paso 3: Reflexiona: ¿lograste el objetivo? ¿Cómo impactó en el equipo?
•	Paso 4: Imagina cómo habrías actuado si hubieras aplicado otro estilo y compara mentalmente los resultados.
Indicadores de un liderazgo saludable en hospitales
•	Equipos cohesionados y motivados.
•	Comunicación clara y fluida entre profesionales.

- Baja tasa de conflictos interpersonales.
- Mejora continua y cultura de seguridad del paciente.

Ejercicios prácticos para el capítulo

1. Mapa personal de liderazgo: Dibuja en un papel un mapa con tus fortalezas y debilidades como líder, marcando "zonas ciegas" que otros compañeros podrían percibir.

2. Juego de roles: En una simulación clínica (reanimación, accidente), asume tres estilos distintos de liderazgo para observar sus efectos en la dinámica del equipo.

3. Diario de liderazgo: Durante una semana, escribe cada día un episodio donde hayas ejercido liderazgo. Clasifícalo según el estilo (autoritario, democrático, transformacional, etc.) y reflexiona sobre su eficacia.

Conclusión

Este capítulo prueba que no existe un único estilo de liderazgo correcto: en sanidad, los líderes necesitan flexibilidad para adaptar su rol a la situación. Un líder rígidamente autoritario puede destruir un equipo en la rutina, pero ser indispensable en una emergencia. El arte del liderazgo sanitario reside, precisamente, en saber cuándo aplicar cada modelo.

Capítulo 3.

Inteligencia Emocional y Gestión del Estrés

La práctica sanitaria combina conocimientos técnicos con un alto componente emocional. La exposición continua al sufrimiento, la presión de tiempo, la toma de decisiones críticas y el contacto con la vida y la muerte hacen que la inteligencia emocional y la gestión del estrés sean competencias imprescindibles en cualquier equipo de salud. Un profesional que no controla sus emociones ni sabe reconocer las de los demás, difícilmente podrá liderar, comunicar eficazmente o mantener la calma en situaciones críticas.

En este capítulo exploraremos los fundamentos de la inteligencia emocional en entornos sanitarios, el impacto del estrés en el rendimiento, la regulación emocional en líderes y equipos, y técnicas concretas de resiliencia aplicadas a la práctica clínica.

Inteligencia emocional en entornos de salud
La inteligencia emocional, según Daniel Goleman, implica cinco componentes fundamentales:
•   Autoconciencia: reconocer nuestras propias emociones y cómo influyen en nuestro comportamiento.
•   Autorregulación: manejar las emociones de forma adecuada, evitando reacciones impulsivas.

• Motivación: capacidad para mantener el entusiasmo y la constancia pese a la adversidad.

• Empatía: comprender, identificar y responder a las emociones de los demás.

• Habilidades sociales: generar relaciones constructivas, resolver conflictos y comunicar asertivamente.

En un hospital, estas competencias son tan importantes como la pericia técnica. Un cirujano puede ser excelente en técnica, pero si pierde el control emocional ante complicaciones o transmite nerviosismo a su equipo, pone en riesgo la seguridad del paciente.

Estrés en contextos clínicos

El estrés es una respuesta natural del organismo ante demandas que se perciben como superiores a los propios recursos. En el entorno sanitario, esta respuesta se convierte en un factor de riesgo tanto para profesionales como para pacientes.

Factores desencadenantes de estrés en equipos sanitarios

• Sobrecarga laboral y jornadas prolongadas.

• Enfrentamiento continuo con el dolor, la muerte y la desesperanza.

• Escasez de recursos frente a alta demanda.

• Ambigüedad de roles y jerarquías poco claras.

• Conflictos interpersonales en equipos multidisciplinares.

Consecuencias del estrés no controlado

• Fatiga física y mental.

• Aumento de errores médicos.

• Mayor conflictividad entre compañeros.

• Síndrome de burnout o desgaste profesional.

- Deterioro de la salud (hipertensión, ansiedad, depresión).

Regulación emocional en líderes y equipos
Los líderes sanitarios tienen un impacto directo en el clima emocional. La regulación emocional es, por tanto, un requisito indispensable para sostener la eficacia del grupo.
Estrategias de regulación emocional
- Respiración consciente: técnicas breves de control respiratorio antes de dar indicaciones en crisis.
- Lenguaje no verbal: cuidar el tono de voz, gestos y posturas para transmitir calma.
- Reestructuración cognitiva: reencuadrar el pensamiento ("esta situación es un reto, no una amenaza").
- Modelado emocional: el líder muestra serenidad, y el equipo replica su actitud.
Rol del líder emocionalmente inteligente
- Conectar con su equipo y detectar signos de ansiedad o fatiga.
- Practicar la escucha activa en reuniones.
- Motivar a través de palabras de reconocimiento.
- Proteger al personal facilitando turnos equilibrados y descansos.

Técnicas de resiliencia para médicos, enfermeros y técnicos
La resiliencia es la capacidad de adaptarse positivamente a experiencias adversas. En el ámbito clínico, se puede entrenar y fomentar con prácticas concretas:
- Mindfulness clínico: programas de atención plena que ayudan a reducir el estrés y mejorar la concentración.

- Briefings y debriefings: reuniones cortas antes y después de intervenciones para dar claridad y sentido al trabajo.
- Apoyo entre pares: grupos de sanitarios que comparten emociones, experiencias y estrategias de afrontamiento.
- Higiene del sueño y autocuidado: respetar descansos, alimentación equilibrada y desconexión digital.
- Técnicas de anclaje emocional: asociar breves rutinas (ej. tomar aire profundo antes de entrar a quirófano) con estados de calma.

Ejemplos prácticos de gestión emocional

Caso 1: Enfermería en UCI

Una enfermera que llevaba más de 12 horas seguidas atendiendo pacientes críticos manifestó agotamiento y miedo a cometer un error. Su supervisora aplicó escucha activa, reorganizó los turnos para darle descanso y reconoció públicamente su esfuerzo, mejorando su motivación y reduciendo su nivel de ansiedad.

Caso 2: Cirugía bajo presión

Un cirujano jefe en una operación de urgencia con complicaciones mantuvo un tono calmado y frases claras ("haz esto", "tranquilos, tenemos tiempo"). Su actitud emocionalmente regulada evitó la propagación del pánico al resto del equipo y facilitó una coordinación eficiente.

Ejercicios prácticos

1. Diario emocional clínico: Durante una semana, anotar momentos de alta carga emocional, registrar la emoción dominante (ansiedad, frustración, esperanza), cómo se gestionó y qué alternativas podrían aplicarse.

2.   Técnica de pausa de 1 minuto: Antes de iniciar una guardia, cerrar los ojos y practicar un minuto de respiración pausada, focalizándose en el presente.

3.   Ejercicio de empatía: Tras un encuentro difícil con un paciente o familiar, escribir cómo se sintieron ellos y qué elementos de mi comunicación pudieron influir en esas emociones.

4.   Simulación bajo estrés: En entrenamiento clínico, exponer a los equipos a escenarios caóticos, evaluando no solo habilidades técnicas sino también el manejo emocional.

Conclusión

La inteligencia emocional y la gestión del estrés no son competencias opcionales en la salud, sino pilares fundamentales que sostienen la efectividad clínica y el bienestar profesional. Un líder que controla sus emociones y ayuda a su equipo a hacerlo crea un entorno más seguro, humano y sostenible.

Capítulo 4.

Comunicación Clínica con Pacientes y Familias

La relación asistencial se construye sobre la confianza. La comunicación clínica es la herramienta que permite a los profesionales transmitir información médica de manera clara, comprensible y empática, pero también escuchar y comprender las necesidades, emociones y expectativas de los pacientes y sus familias. Un diagnóstico puede ser técnicamente correcto, pero si no se comunica bien, puede generar ansiedad, rechazo o falta de adherencia al tratamiento.

En este capítulo se abordan técnicas de comunicación centrada en la persona, la explicación de procedimientos sanitarios en lenguaje claro, protocolos para comunicar malas noticias, la gestión de expectativas familiares en entornos críticos y estrategias para mejorar la adherencia terapéutica.

La importancia de la comunicación clínica
La comunicación clínica eficaz:
• Mejora la satisfacción del paciente y sus familiares.

- Contribuye a una mejor adherencia a los tratamientos.
- Disminuye la ansiedad y el sufrimiento emocional.
- Previene conflictos derivados de malentendidos.
- Refuerza la seguridad del paciente al reducir errores de interpretación.

Un mensaje mal transmitido puede generar más daño que una complicación médica inevitable.

Técnicas de escucha activa y comunicación centrada en la persona

La escucha activa es la base de toda comunicación clínica. Implica más que oír: consiste en comprender lo que la otra persona expresa, verbal y no verbalmente.

Pautas de escucha activa

- Atención plena: mirar al paciente mientras habla, mostrar interés genuino.
- Uso de silencios: permiten que la persona exprese pensamientos profundos.
- Reformulación: repetir con tus palabras lo que el paciente dijo, para mostrar comprensión ("Entiendo que lo que más le preocupa es…").
- Lenguaje corporal abierto: postura relajada, gestos acogedores, proximidad adecuada.

Comunicación centrada en la persona

- Reconocer al paciente como sujeto activo, no un receptor pasivo de información.
- Adecuar el lenguaje a su nivel de comprensión.

• Validar emociones: "Comprendo que esta situación le genere miedo".
• Reconocer valores y preferencias del paciente al diseñar planes de tratamiento.

Explicación de diagnósticos y tratamientos en lenguaje claro
Uno de los errores más frecuentes en la clínica es el abuso de tecnicismos. Hablar de "insuficiencia cardíaca congestiva" puede ser incomprensible para un paciente. Es preferible explicar: "Su corazón tiene dificultades para bombear la sangre con la fuerza suficiente, lo que provoca cansancio y acumulación de líquido en el cuerpo".
Claves de una explicación efectiva
• Usar comparaciones y metáforas comprensibles.
• Evitar frases ambiguas o alarmistas.
• Preguntar siempre: "¿Desea que le explique nuevamente?"
• Confirmar comprensión: pedir al paciente que repita con sus palabras lo que entendió.

Comunicación de malas noticias: protocolo SPIKES
Recibir un diagnóstico grave o el fallecimiento de un ser querido es un momento de gran impacto. El modelo SPIKES es una guía de seis pasos para estos contextos:
1. S (Setting): Preparar el entorno, elegir un lugar privado y sin interrupciones.
2. P (Perception): Evaluar lo que el paciente o familiar ya sabe.
3. I (Invitation): Preguntar cuánto desea saber ("¿Quiere que le explique todos los detalles ahora?").

4. K (Knowledge): Dar la información de forma clara, directa, sin tecnicismos y en dosis progresivas.

5. E (Emotions): Reconocer las emociones que surgen y dar espacio a la expresión del paciente o familiar.

6. S (Strategy & Summary): Ofrecer un plan claro de próximos pasos y resumir lo conversado.

Ejemplo aplicado: al informar un cáncer avanzado, el profesional prepara un espacio privado, explora lo que la persona ya sospecha, explica con palabras sencillas el diagnóstico, valida la tristeza o miedo expresado, y termina resumiendo el tratamiento paliativo disponible con acompañamiento constante.

Gestión de expectativas familiares en unidades críticas

Las unidades de cuidados intensivos y urgencias generan gran angustia en las familias. Una comunicación deficiente aumenta la frustración y los conflictos.

Estrategias clave

• Establecer horarios regulares para dar información médica.

• Usar un solo portavoz clínico para evitar mensajes contradictorios.

• Asegurar comunicación clara y sin falsas esperanzas.

• Ser honestos con la incertidumbre ("No podemos asegurarlo todavía, pero vamos a…").

• Incluir a la familia en decisiones compartidas (por ejemplo, cuidados paliativos).

Estrategias para reducir ansiedad y mejorar adherencia terapéutica

Un paciente ansioso o desinformado tiende a incumplir tratamientos. La comunicación efectiva puede fortalecer la confianza y mejorar resultados en salud.

Técnicas útiles

• Psicoeducación: explicar de manera sencilla los efectos del tratamiento.

• Refuerzo positivo: reconocer avances ("Está siguiendo muy bien su medicación").

• Uso de material gráfico: folletos, dibujos o esquemas de tratamiento.

• Incorporar la historia personal: relacionar el tratamiento con metas vitales del paciente (ej. "Tome esto para poder tener energía y seguir jugando con sus nietos").

Ejemplos prácticos

Caso 1: Paciente con diabetes mal controlada

En lugar de regañarle por no seguir la dieta, el médico aplica comunicación empática: "Entiendo que haya sido difícil cambiar sus hábitos de alimentación. ¿Qué cree usted que le ayudaría más a cumplir con el plan?". Esto permite co-construir soluciones viables.

Caso 2: Familia en UCI

Los padres de un niño crítico pedían información cada 15 minutos. El intensivista organizó reuniones cada 6 horas con un portavoz médico y un psicólogo. Con ello se redujo la ansiedad familiar y se evitó la saturación del equipo

Ejercicios prácticos del capítulo

1. Role-playing de malas noticias: practicar en parejas una situación de comunicación difícil aplicando el modelo SPIKES.

2. Lenguaje claro: transformar 5 términos médicos técnicos en frases comprensibles para un paciente.

3. Simulación familiar: asignar un caso de UCI a un grupo de alumnos, unos como sanitarios y otros como familiares, para entrenar la gestión de expectativas.

4. Feedback grabado: grabar una conversación ficticia con un paciente y analizar posteriormente lenguaje, empatía y clarida

Conclusión

La comunicación clínica no es un mero complemento de la medicina, sino una herramienta terapéutica en sí misma. Una palabra mal transmitida puede generar sufrimiento innecesario, mientras que una interacción empática y clara puede reducir la ansiedad, aumentar la adherencia y mejorar los resultados en salud. El reto para los profesionales es integrar la técnica médica con la calidez humana.

Capítulo 5.

Comunicación y Colaboración en Equipos Multidisciplinares

La atención sanitaria moderna no puede ser entendida como el trabajo aislado de un profesional. Médicos, enfermeros, fisioterapeutas, farmacéuticos, trabajadores sociales, psicólogos, técnicos y administrativos conforman un entramado interdependiente cuya eficacia depende, en gran medida, de la calidad de la comunicación y la colaboración interdisciplinar.

Cuando esta comunicación es clara y fluida, los resultados son positivos: mejor asistencia al paciente, menos errores clínicos y un equipo más cohesionado. En cambio, la ausencia de coordinación y la falta de entendimiento entre profesiones sanitarias se traduce en duplicación de tareas, pérdida de tiempo, desgaste emocional y riesgo para la seguridad del paciente.

Retos de la comunicación entre profesiones sanitarias

En los hospitales y centros de salud, los equipos multidisciplinares enfrentan desafíos particulares:

• Lenguajes y jergas diferentes: lo que para un médico es "insuficiencia renal aguda estadio 3", en enfermería puede traducirse en urgencia por cambios en diuresis y control de líquidos.

• Jerarquías verticales: estructuras rígidas que limitan la participación de enfermería o técnicos en la toma de decisiones críticas.

• Falta de claridad en roles: superposición o desconocimiento de responsabilidades.

• Tiempo limitado: la prisa en urgencias reduce la comunicación a lo esencial, pero aumenta el riesgo de omitir datos.

• Conflictos interpersonales: choques de personalidad o estilos de trabajo que generan fricciones dentro del equipo. Estos retos hacen imprescindible el uso de metodologías y protocolos validados.

Protocolos SBAR e ISBAR en la práctica clínica

El SBAR (Situation, Background, Assessment, Recommendation) y su variante ISBAR (añade Identification) son herramientas estandarizadas para transmitir información crítica entre profesionales.

Estructura SBAR:

1. Situation (Situación): Describir en pocas palabras qué ocurre ahora.

o Ejemplo: "Paciente con dificultad respiratoria súbita".

2. Background (Antecedentes): Proporcionar la información relevante.

o "Historial de EPOC y fue intubado hace 2 horas".

3. Assessment (Valoración): Explicar lo que se ha observado o deducido.

o "Saturación al 82%, signos de colapso del tubo endotraqueal".

4. Recommendation (Recomendación): Sugerir la acción necesaria.

o "Solicito revisión inmediata para posible recambio de tubo".

Ventajas:

- Estandariza la transmisión de información.
- Evita omisiones críticas en momentos de presión.
- Fomenta claridad y brevedad.

El ISBAR añade el paso de Identification al inicio (identificar al paciente y al comunicador), aspecto fundamental en hospitales grandes con múltiples equipos.

La importancia de la jerarquía horizontal frente a la vertical en hospitales

Históricamente, los hospitales se han regido por estructuras verticales rígidas, donde las decisiones recaen casi exclusivamente en médicos seniors. Sin embargo, los estudios actuales demuestran que jerarquías más horizontales promueven equipos más resilientes y seguros.

Beneficios de una jerarquía horizontal:

- Permite que enfermeras o técnicos puedan alertar de un error potencial sin miedo a represalias.
- Favorece la innovación al escuchar ideas de todos los niveles.
- Mejora la satisfacción y compromiso de los profesionales.

• Disminuye los conflictos derivados de autoritarismos. En un equipo multidisciplinar eficiente, la autoridad es flexible: la lidera quien tiene mayor conocimiento sobre el problema en cuestión. Un fisioterapeuta puede liderar la estrategia de rehabilitación postquirúrgica igual que un intensivista lidera la ventilación mecánica en la UCI.

Reuniones clínicas efectivas y dinámicas de equipo

Las reuniones clínicas son espacios cruciales para la coordinación. Sin embargo, muchas veces degeneran en reproches, pérdida de tiempo o comunicación desorganizada.

Claves para reuniones clínicas efectivas

• Tener un objetivo claro previamente definido.
• Establecer un orden del día breve y preciso.
• Limitar el tiempo de intervención de cada participante.
• Utilizar datos objetivos como base para la discusión.
• Finalizar con acuerdos concretos, responsables y plazos.

Dinámicas de equipo

• Briefing diario: encuentro breve al inicio del turno, donde se revisan prioridades y posibles alertas.
• Debriefing post-intervención: espacio de reflexión tras una cirugía o reanimación, para identificar fortalezas y errores.
• Dinámicas de confianza: ejercicios breves donde los profesionales comparten fortalezas y áreas de mejora personal.

Ejercicios prácticos para mejorar el trabajo interdisciplinar

1. Simulación interdisciplinar de emergencia: recrear un caso de parada cardiorrespiratoria en un entorno simulado. Evaluar la claridad de roles, la aplicación del protocolo SBAR y la colaboración entre médicos, enfermeros y técnicos.
2. Rueda de perspectivas: cada profesional explica cómo ve una situación clínica desde su rol, con el objetivo de identificar puntos ciegos que otros no perciben.
3. Shadowing: un profesional acompaña a otro en su rutina (ej. un médico acompaña a enfermería en su ronda) para comprender mejor su carga de trabajo y su visión del paciente.
4. Feedback 360°: recogida estructurada de retroalimentación sobre la comunicación de cada miembro del equipo en una situación concreta.

Ejemplo aplicado: equipo multidisciplinar en oncología

En un comité de tumores participan oncólogos, cirujanos, patólogos, radiólogos, enfermeras, psicooncólogos y trabajadores sociales. La colaboración entre todos permite:

• Un enfoque integral (biológico, emocional y social).
• Decisiones consensuadas sobre cirugía, quimioterapia y cuidados paliativos.
• Acompañamiento psicológico y social coordinado.

Sin comunicación multidisciplinar, cada especialidad trabajaría de forma aislada, fragmentando la atención y aumentando el sufrimiento del paciente.

Conclusión

Los equipos multidisciplinares son el corazón del sistema sanitario actual. El desafío no es solo reunir a profesionales de diferentes ámbitos, sino lograr que se escuchen, comprendan y trabajen de manera cohesionada. La aplicación de protocolos de comunicación, el fomento de jerarquías más horizontales y la creación de espacios de coordinación efectiva permiten que la diversidad se convierta en fortaleza y no en obstáculo.

Capítulo 6.

Gestión de Equipos Sanitarios en Emergencias

Las emergencias sanitarias constituyen situaciones de alta presión donde la rapidez, la organización y la coordinación marcan la diferencia entre la vida y la muerte. No basta con disponer de recursos técnicos; es imprescindible contar con equipos cohesivos, roles claros, liderazgo flexible y comunicación precisa. La gestión de equipos en urgencias hospitalarias y extrahospitalarias requiere preparación constante, protocolos sólidos y capacidad de adaptación a escenarios caóticos.

En este capítulo se analizarán las características del trabajo en emergencias, la toma de decisiones bajo presión, la organización de equipos, los roles y responsabilidades en distintos contextos y casos reales de coordinación en catástrofes con múltiples víctimas.

Características del trabajo en urgencias, catástrofes y desastres

A diferencia de la rutina clínica, las emergencias presentan una serie de particularidades:

• Alta incertidumbre: diagnósticos incompletos, información fragmentada.

• Tiempo limitado: decisiones que deben tomarse en segundos o minutos.

• Recursos escasos: necesidad de priorizar camas, fármacos, respiradores o personal.

• Emociones intensas: miedo, ansiedad y estrés de pacientes, familias y profesionales.

• Colaboración interinstitucional: bomberos, policía, protección civil y sanitarios trabajando juntos.

• Cambio constante: lo que es cierto en el minuto 1 puede no serlo en el minuto 10.

Estas condiciones exigen equipos entrenados en resiliencia y comunicación ágil.

Toma rápida de decisiones bajo presión

La toma de decisiones en emergencias combina intuición, experiencia y protocolos.

Enfoques de decisión

• Heurístico (basado en experiencia previa): útil en situaciones repetitivas como paradas cardíacas.

• Analítico (valoración detallada de opciones): aplicable en contextos con algo más de tiempo, como organizar traslados.

• Protocolizado: seguir algoritmos preestablecidos (ATLS en trauma, ACLS en reanimación).

Claves para decidir bajo presión
- Definir con rapidez la prioridad principal (salvar vidas, estabilizar pacientes, asegurar la escena).
- Evitar la parálisis por análisis: decidir con información suficiente, no esperando la perfecta.
- Delegar y confiar en especialistas del equipo.
- Mantener la calma para transmitir seguridad.

Organización de equipos en servicios de urgencias hospitalarios
La urgencia hospitalaria es un entorno característicamente saturado, donde la organización del equipo es esencial.
Elementos de organización
- Triages eficaces: clasificación inicial de pacientes para priorizar atención.
- Roles definidos: coordinador de guardia, médicos asistenciales, enfermería de apoyo, auxiliares, celadores.
- Flujos de comunicación: canales claros entre triaje, boxes de críticos, observación y hospitalización.
- Apoyo en tecnología: sistemas de información en tiempo real para derivaciones y camas disponibles.
Ejemplo de práctica eficaz
En un hospital de Barcelona se implementó un "Gestor de Flujo de Pacientes" en urgencias, que coordina junto al jefe de guardia las derivaciones y prioriza recursos. Resultado: tiempos de espera reducidos en un 30% y menor número de abandonos de pacientes sin ser atendidos.

Roles y responsabilidades en equipos de emergencias extrahospitalarias

En contextos extrahospitalarios (ambulancias, catástrofes, accidentes múltiples), los roles deben estar muy bien delimitados:

• Coordinador médico (jefe de urgencias en el terreno): toma decisioncs globales y dirige estrategias.

• Enfermería de emergencias: estabilización inicial, administración de fármacos, control de vías y monitorización.

• Técnicos en emergencias sanitarias (TES): conducción de ambulancias, apoyo en inmovilización, rescate y traslado seguro.

• Personal de apoyo no sanitario: bomberos para la extracción, cuerpos de seguridad para asegurar la escena, protección civil para logística.

La coordinación clara evita duplicaciones y vacíos en la atención.

Estudios de casos: coordinación en accidentes múltiples y planes de catástrofes

Caso 1: Accidente múltiple en carretera

En una colisión en cadena con más de 20 víctimas, se desplegó un plan de catástrofes con el siguiente esquema:

• Zona de impacto asegurada por bomberos y guardia civil.

• Sanitarios organizados en tres áreas: triaje rojo (críticos), amarillo (urgencia diferible) y verde (lesiones leves).

• Hospital receptor informado con antelación de la llegada escalonada de pacientes.

Resultado: 0 víctimas secundarias por fallos en coordinación.

Caso 2: Catástrofe natural (inundaciones)

Durante inundaciones en Levante, protección civil coordinó el traslado de heridos en barcas, sanitarios daban primeros auxilios en puntos estabilizadores y el hospital central recibía actualizaciones por radio. La interoperabilidad entre cuerpos fue clave para salvar a los heridos atrapados.

Herramientas para la gestión eficiente en emergencias
• Checklists: listas de verificación previas en material, medicación y roles.
• Protocolos de catástrofes: planes hospitalarios actualizados que simulan diferentes escenarios (accidentes múltiples, incendios, explosiones, violencia masiva).
• Simulación de alta fidelidad: entrenamientos regulares con escenarios realistas que reproducen caos y presión de tiempo.
• Sistemas de mando único: un líder que coordina a todos los cuerpos para evitar mensajes contradictorios.

Ejercicios prácticos
1. Simulación de accidente múltiple: organizar un ejercicio donde se distribuyan roles de médico, enfermería, TES, bomberos y policías, aplicando protocolos de triaje.
2. Juego de toma rápida de decisiones: en grupos, se presentan escenarios súbitos (incendio, niño politraumatizado, derrumbe). Cada grupo debe decidir en menos de 2 minutos su plan de acción.
3. Checklist de roles en guardia: cada miembro de urgencias elabora un listado de sus funciones exactas durante emergencias para evitar duplicaciones.

4. Debriefing post-crisis: analizar en equipo qué funcionó y qué no después de un caso real de urgencias complejas.

Conclusión

La gestión de equipos sanitarios en emergencias es una disciplina que integra liderazgo, comunicación y organización bajo presión. Los equipos no se improvisan el día del accidente: se entrenan con disciplina, protocolos y simulaciones previas. El éxito no depende solo de la pericia individual, sino de la capacidad colectiva de actuar como una unidad sincronizada, donde cada rol se asume con claridad y la comunicación se mantiene firme incluso en medio del caos.

Capítulo 7.

Comunicación en Actuaciones Multidisciplinares de Emergencia

En situaciones de catástrofe, accidente con múltiples víctimas o emergencias públicas, los equipos sanitarios no trabajan solos: se coordinan con bomberos, policía, Guardia Civil, protección civil y otros cuerpos de seguridad y rescate. Esta colaboración requiere superar diferencias culturales, jerárquicas y organizativas mediante protocolos de interoperabilidad y comunicación clara, porque cualquier error en los mensajes puede multiplicar las víctimas.

Este capítulo aborda los retos de la comunicación interinstitucional, protocolos de mando único, estrategias para entornos caóticos y ejemplos prácticos de simulacros multidisciplinares.

Coordinación entre sanitarios y cuerpos de emergencia
Cuando un accidente ocurre, el escenario de trabajo integra múltiples actores:
•	Sanitarios: médicos, enfermeros, técnicos en emergencias sanitarias, psicólogos de emergencias.
•	Bomberos: responsables de rescate, extracción, control de incendios y acceso a zonas peligrosas.
•	Policía y Guardia Civil: aseguran el perímetro, gestionan tráfico y seguridad ciudadana.
•	Protección civil: despliega logística de soporte, refugios y abastecimiento de recursos.
•	Otros actores: Cruz Roja, unidades militares de emergencia (UME), voluntariado acreditado.
El éxito depende de la comunicación efectiva entre todos. Un retraso de dos minutos por confusión de mando puede equivaler a una vida perdida.

Diferencias culturales y organizativas entre cuerpos
Cada cuerpo de respuesta a emergencias posee su propia "cultura operativa":
•	Sanitarios: formados en protocolos clínicos, priorizan salvar vidas individuales.
•	Bomberos: valoran la seguridad del equipo y la estabilidad de la escena antes del rescate.
•	Policía/Guardia Civil: focalizados en orden público, control del entorno y cadena de custodia en accidentes con implicación judicial.

• Protección Civil: trabajan en soporte logístico, planificación y asistencia comunitaria.

Estas diferencias generan roces si no existe un lenguaje común. Ejemplo: un sanitario puede querer entrar a asistir rápidamente a un paciente atrapado, mientras un bombero insiste en la inestabilidad de la estructura y la necesidad de esperar. Solo una coordinación clara evita conflictos.

Protocolos de interoperabilidad y mando único en catástrofes

La forma de unir a todos los cuerpos en un mismo sistema de decisión es a través de protocolos como:

• Sistema de Comando de Incidentes (SCI): utilizado internacionalmente, establece un mando único, con roles definidos para cada institución y comunicación centralizada.

• Planes de emergencia autonómicos o estatales: en España, los Planes Territoriales y los Planes Sectoriales (ej. forestal, químico, inundaciones) articulan la respuesta conjunta.

• Canales de comunicación compartidos: radios de emergencia interoperables con códigos estandarizados.

• Centros de Coordinación Operativa (CECOP): lugar físico o virtual donde confluyen representantes de todos los cuerpos para tomar decisiones conjuntas.

El mando único no significa jerarquía militar absoluta, sino designar una autoridad de coordinación que evita mensajes contradictorios.

Comunicación en entornos caóticos: claves de claridad

En emergencias multidisciplinares, el ruido, la confusión y la tensión son inevitables. Por ello se requiere una comunicación clara, breve y estandarizada.

Principios fundamentales:

• Mensajes cortos, sin tecnicismos innecesarios.

• Confirmación de recibido (closed-loop communication).

• Evitar discusiones en público: discrepancias se comunican al mando designado.

• Uso de códigos o terminología preacordada (ej. colores de triaje).

• Centralizar la información en un portavoz por institución.

Ejemplo: en lugar de "los heridos están muy graves", comunicar: "Tres críticos rojo, cinco urgentes amarillo, diez leves verde".

Ejemplo: simulacro de accidente con múltiples víctimas (AMV)

En un simulacro en una autopista con 30 heridos:

1. Guardia Civil llegó primero, aseguró el tráfico y delimitó la zona.

2. Bomberos extrajeron a víctimas atrapadas en vehículos siniestrados.

3. Sanitarios realizaron triaje START, estabilización inicial y evacuación.

4. Protección Civil montó un hospital de campaña y organizó el transporte.

5. El CECOP coordinaría todas las comunicaciones cada 15 minutos con un parte actualizado.

Resultados del ejercicio: al aplicar un lenguaje común (SBAR adaptado a emergencias) se redujo en un 40% el tiempo medio de traslado hospitalario en comparación con años anteriores.

Ejercicios prácticos

1. Simulación conjunta: reunir sanitarios, bomberos y policía para simular un accidente químico, con briefing inicial y evaluación del flujo de comunicación.

2. Ejercicio de interoperabilidad: practicar comunicación con radios conjuntas, estableciendo mensajes uniformes y confirmación de recibido.

3. Mapa de responsabilidades: diseñar con un grupo la distribución de roles en un accidente múltiple (quién asegura, quién informa, quién estabiliza).

4. Debriefing multidisciplinar: realizar un análisis conjunto en frío tras un caso real o simulado, con participación de todos los cuerpos, para identificar áreas de mejora.

Conclusión

Las emergencias complejas no entienden de fronteras profesionales. La atención conjunta entre sanitarios, bomberos, policía, Guardia Civil y protección civil requiere humildad, claridad de roles y comunicación impecable. El lenguaje común, los protocolos de interoperabilidad y la práctica conjunta son la clave para que múltiples cuerpos trabajen como un único organismo, orientado a un objetivo superior: salvar vidas en condiciones extremas.

Capítulo 8.

Gestión de Conflictos y Toma de Decisiones Éticas

El trabajo sanitario, especialmente en entornos complejos como urgencias, cuidados intensivos o catástrofes, se caracteriza por la interacción constante entre profesionales, pacientes y familias en situaciones de gran vulnerabilidad. Esto genera un terreno fértil tanto para conflictos como para dilemas éticos. La capacidad de gestionar conflictos de manera constructiva y tomar decisiones éticamente fundamentadas es una competencia imprescindible para líderes y equipos sanitarios.

Identificación de conflictos en contextos sanitarios
Los conflictos pueden surgir a nivel interpersonal, interprofesional o con las familias de los pacientes.
Tipos frecuentes de conflicto
• Entre profesionales sanitarios: diferencias de criterio clínico, solapamiento de roles, tensión por cargas de trabajo.
• Con pacientes: rechazo de tratamientos, falta de confianza en el equipo asistencial.
• Con familias: expectativas poco realistas, desinformación, exigencia en situaciones de pronóstico limitado.
• Con la institución: presión de recursos, horarios, normativas administrativas frente a la necesidad asistencial.
El primer paso para resolverlos es reconocerlos y definirlos claramente, evitando que crezcan de manera silenciosa.

Estrategias de negociación colaborativa
Un conflicto no necesariamente es negativo; puede ser origen de innovación y mejora si se maneja con herramientas adecuadas.
Enfoque colaborativo
• Escucha activa: comprender los intereses de la otra parte.
• Búsqueda de intereses comunes: orientarse a la necesidad del paciente como objetivo compartido.
• Generación de opciones: explorar soluciones creativas más allá de "yo gano, tú pierdes".

• Acuerdos claros y revisables: establecer compromisos realistas que puedan ajustarse si cambian las circunstancias.
Ejemplo: un médico y una enfermera discuten por prioridades en la sala de críticos. Un tercer mediador (supervisor) facilita una conversación donde ambos reconocen la sobrecarga, establecen turnos rotatorios y acuerdan un protocolo de priorización conjunta.

Decisiones difíciles: priorización de recursos en emergencias
Durante catástrofes o situaciones masivas, la ética clínica adquiere una dimensión especial: no siempre se puede atender a todos al mismo tiempo con el mismo nivel de recursos.
Ejemplos de decisiones críticas
• Elección de pacientes que ingresan en UCI cuando hay escasez de camas.
• Asignación de respiradores durante una pandemia.
• Priorización en triaje en un accidente múltiple.
Se aplican criterios éticos como:
• Justicia distributiva: asignar recursos equitativamente.
• Beneficencia: priorizar a quien más pueda beneficiarse.
• No maleficencia: evitar prolongar sufrimiento inútil.
• Autonomía: respetar deseos expresados por el paciente (ej. voluntades anticipadas).

El papel de la ética y la bioética en la toma de decisiones
La bioética proporciona marcos de reflexión para guiar decisiones difíciles, especialmente en dilemas irresolubles desde lo puramente técnico.
Principios fundamentales

- Autonomía: derecho de los pacientes a decidir sobre su cuerpo y tratamiento.
- Beneficencia: obrar siempre en beneficio del paciente.
- No maleficencia: evitar intervenciones que puedan dañar.
- Justicia: distribuir los recursos de manera justa y sin discriminación.

Ejemplo: en un hospital colapsado, un equipo ético asesoró a médicos de urgencias para establecer criterios objetivos de ingreso en UCI con base en edad fisiológica, pronóstico y comorbilidades, en lugar de decisiones improvisadas.

Resolución de conflictos entre profesionales y familiares
Los familiares suelen ser actores muy influyentes en la toma de decisiones, especialmente en contextos intensivos o terminales.

Estrategias prácticas
- Explicación clara y honesta: evitar tecnicismos que generen confusión.
- Reconocer emociones: validar el dolor o la ira, diferenciando expresión emocional de agresión.
- Reuniones programadas: espacios regulares para informar y escuchar.
- Uso de mediadores éticos o psicólogos: facilitar entendimiento donde los sanitarios no logran avanzar solos.
- Documento de consenso: actas de reunión con acuerdos explícitos para evitar malinterpretaciones.

Caso real: en UCI pediátrica, los padres exigían continuar con soporte vital a pesar de pronóstico irreversiblemente desfavorable. El equipo organizó varias reuniones con comité de ética y psicólogos. Finalmente, se logró acuerdo en cuidados paliativos dignos, manteniendo acompañamiento de los padres en todas las etapas.

Ejercicios prácticos
1. Role-playing de conflicto interdisciplinar: simular una discusión entre médico y enfermero por un recurso limitado, y entrenar resolución colaborativa.
2. Análisis ético de caso: estudiar un escenario real de pandemia y aplicar los cuatro principios de la bioética para decidir priorización de pacientes.
3. Debate estructurado: dividir a un grupo en "familiares" y "profesionales sanitarios" ante la decisión de desconectar soporte vital, buscando comprensión empática de ambas posturas.
4. Autodiagnóstico de conflictos: cada participante identifica un conflicto sanidad/paciente/familia vivido y analiza qué estrategia de resolución hubiera sido más útil.

Conclusión
Los conflictos y los dilemas forman parte inherente del trabajo sanitario. Evitarlos es imposible, pero gestionarlos de forma constructiva y ética es un arte profesional que se aprende con práctica, reflexión y sensibilidad. La clave está en comunicar con respeto, escuchar activamente y aplicar principios bioéticos, transformando las tensiones inevitables en oportunidades de mejora y humanización de la asistencia sanitaria.

Capítulo 9.

Herramientas y Tecnologías para la Comunicación Sanitaria

La transformación digital ha revolucionado la comunicación en el ámbito de la salud. Ya no dependemos únicamente de llamadas telefónicas o informes en papel: hoy, las plataformas digitales, la telemedicina y la inteligencia artificial permiten transmitir información clínica en tiempo real y con mayor precisión. Sin embargo, este progreso también plantea retos relacionados con la seguridad, la confidencialidad y la posible deshumanización del trato con pacientes y familias.

Este capítulo analiza las principales herramientas tecnológicas de comunicación aplicadas a los equipos sanitarios, sus beneficios, riesgos, y ejemplos de éxito en hospitales.

Uso de plataformas digitales seguras para la información interna

Los hospitales modernos utilizan plataformas digitales integradas que permiten coordinar equipos y compartir información clínica de manera ágil.

Ejemplos de uso

• Historia clínica electrónica compartida (HCE): acceso en tiempo real para todos los profesionales implicados en el paciente.

• Sistemas de mensajería segura: aplicaciones cifradas para comunicaciones internas entre sanitarios.

• Alertas automáticas: recordatorios o avisos sobre alergias, medicación o parámetros críticos.

Ventajas

• Reduce errores de transcripción y pérdida de información.

• Mejora la continuidad asistencial.

• Facilita decisiones rápidas basadas en datos actualizados.

Riesgos

• Dependencia tecnológica: caída de sistemas que puede bloquear un hospital.

• Posible filtración de datos sensibles si no hay ciberseguridad.

• Saturación informativa si no se jerarquizan las alertas.

Telemedicina y comunicación a distancia en emergencias

La telemedicina ha permitido que especialistas den soporte desde la distancia a equipos en terreno o en zonas rurales.

Aplicaciones prácticas

• Tele-UCI: intensivistas guían a equipos remotos para monitorizar pacientes críticos.

• Urgencias rurales: sanitario en un centro básico conectado a urgenciólogo en hospital de referencia.

• Catástrofes: comunicación vía satélite para coordinar atención en áreas aisladas.

Beneficios

• Optimiza recursos humanos escasos.

• Disminuye la necesidad de transporte innecesario de pacientes.

• Mejora la equidad en el acceso a la atención especializada.

Ejemplo: durante la pandemia de COVID-19, varios hospitales españoles implementaron consultas telemáticas con pacientes crónicos para liberar urgencias y reducir exposición.

El papel de la inteligencia artificial (IA) en el intercambio de datos clínicos

La inteligencia artificial ya no es ciencia ficción: se utiliza para apoyar la comunicación clínica, especialmente en la gestión de grandes volúmenes de datos.

Aplicaciones

- Alerta temprana: algoritmos que identifican patrones de riesgo (ej. sepsis, empeoramiento respiratorio).
- Análisis de imagen: IA que detecta alteraciones en radiografías y comunica hallazgos al radiólogo.
- Procesamiento de lenguaje natural (PLN): permite convertir notas clínicas en información codificada y comprensible.

Ventajas
- Mejora la velocidad de respuesta.
- Reduce el error humano en la clasificación de datos.
- Permite priorizar casos urgentes mediante inteligencia predictiva.

Riesgos éticos y legales
- Opacidad en los algoritmos ("caja negra").
- Potenciales sesgos en los datos de entrenamiento.
- Posible sustitución parcial de juicio clínico humano.

Ventajas y riesgos de las redes sociales en contextos sanitarios

Las redes sociales son un nuevo canal de comunicación entre instituciones sanitarias, profesionales y población general.

Ventajas
- Información rápida y masiva en campañas de salud pública.
- Canal de contacto con la población en emergencias (epidemias, catástrofes).
- Espacios de aprendizaje y colaboración profesional (grupos médicos especializados).

Riesgos
- Desinformación y bulos sanitarios.

• Vulneración de la confidencialidad si se comparten casos sin anonimizar.

• Exposición del personal sanitario a críticas o violencia digital.

Ejemplo: durante la pandemia, muchas comunidades autónomas usaron Twitter para actualizar datos en tiempo real sobre contagios y medidas, pero también proliferaron noticias falsas que causaron alarma social.

Casos de éxito en digitalización de la comunicación hospitalaria

• Hospital Clínic de Barcelona: implementó historia clínica compartida accesible para todo el personal, reduciendo errores de duplicidad en analíticas.

• Servicio Andaluz de Salud (SAS): desarrolló apps para consultas de citas y resultados, mejorando el acceso del paciente a su información.

• Teleictus: red nacional que conecta hospitales comarcales con neurólogos expertos por videollamada, acelerando la administración de tratamientos trombolíticos.

Resultados comunes:

• Menor tiempo en diagnósticos críticos.

• Mejor satisfacción del paciente.

• Optimización de recursos materiales y humanos.

Ejercicios prácticos

1. Mapa digital: elaborar un mapa de herramientas digitales utilizadas en un hospital y analizar ventajas/riesgos de cada una.

2. Simulacro de teleconsulta: practicar un caso clínico por videollamada, evaluando comunicación verbal/no verbal y claridad de instrucciones.

3. Análisis crítico de IA: estudiar un caso de algoritmo aplicado en salud y debatir sobre sus beneficios y riesgos éticos.

4. Dinámica de redes sociales: crear mensajes breves y claros de salud pública orientados a la población en caso de epidemia ficticia.

Conclusión

La digitalización de la comunicación sanitaria no es una opción, sino una necesidad en el mundo contemporáneo. La clave reside en equilibrar la eficiencia tecnológica con la ética clínica y la humanización de la atención. Las plataformas seguras, la telemedicina y la inteligencia artificial son aliados poderosos, siempre que se usen con responsabilidad y sin perder de vista que, en última instancia, la comunicación sanitaria sigue siendo un acto humano.

Capítulo 10.

Formación, Simulación y Mejora Continua

En un entorno tan dinámico y complejo como el sanitario, la formación continua y el entrenamiento de equipos resultan fundamentales para garantizar la seguridad de los pacientes y la eficiencia de los profesionales. La comunicación y el liderazgo no son habilidades estáticas; se desarrollan y refuerzan mediante práctica, feedback y evaluación constante. La simulación clínica, las metodologías participativas y la creación de una cultura del aprendizaje permanente son claves para alcanzar y mantener la excelencia asistencial.

Importancia de la simulación clínica para entrenar equipos
La simulación clínica es una herramienta pedagógica que permite recrear situaciones reales en un entorno controlado y seguro. Sirve tanto para entrenar habilidades técnicas (técnicas invasivas, reanimación, cirugía) como habilidades no técnicas (liderazgo, comunicación, trabajo en equipo).
Beneficios
•   Entrenamiento sin riesgo para pacientes.
•   Mejora de la coordinación y roles entre profesionales.
•   Entrenamiento en escenarios críticos y poco frecuentes (paro cardíaco pediátrico, catástrofe múltiple).
•   Evaluación objetiva de desempeño clínico y comunicativo.
Tipos de simulación
•   Simulación de alta fidelidad: maniquíes electrónicos que reproducen variables fisiológicas realistas.
•   Simulación in situ: entrenamiento en el propio entorno (urgencias, quirófano).
•   Simulación basada en casos: discusiones clínicas estructuradas sobre pacientes hipotéticos.
•   Gamificación: uso de juegos de rol o dinámicas digitales para aprender contenidos clínicos de manera lúdica.

Metodologías participativas: role-playing, talleres y coaching
Formar equipos comunicativos implica cambiar prácticas, no solo transmitir teoría.

- Role-playing: el profesional ensaya interacciones específicas (comunicar malas noticias, negociar con familiares, resolver conflicto de turno).
- Talleres de trabajo: sesiones participativas donde se practican técnicas de escucha, feedback, SBAR y resolución de conflictos.
- Coaching individual y grupal: acompañamiento para desarrollo de liderazgo, gestión del estrés y toma de decisiones éticas.
- Aprendizaje interprofesional: talleres conjuntos de médicos, enfermeros, técnicos y otros profesionales para entrenar dinámicas de cooperación real.

La cultura del feedback como motor de mejora

El feedback permite convertir cada experiencia clínica en una oportunidad de aprendizaje. En equipos sanitarios, debe practicarse de manera sistemática y respetuosa.

Principios del feedback constructivo

- Inmediato y contextual: tras la práctica o evento.
- Concreto y basado en hechos observables, no en juicios personales.
- Orientado a la mejora, no al reproche.
- Bidireccional: no solo del líder al subordinado, también entre pares y hacia los líderes.

Ejemplo: tras una reanimación, el líder comenta: "El masaje cardíaco fue muy efectivo, pero al inicio hubo dudas con la indicación de fármacos. ¿Cómo podríamos asegurarnos de clarificar eso la próxima vez?"

Indicadores de evaluación de la comunicación en equipos de salud

La comunicación puede evaluarse con parámetros objetivos.

Indicadores observables

• Claridad de roles y asignación de tareas en guardias.

• Uso efectivo de protocolos SBAR/ISBAR.

• Número de incidentes críticos asociados a fallos de comunicación.

• Nivel de satisfacción del equipo (encuestas internas).

• Percepción de familias y pacientes sobre la claridad de la información recibida.

Métodos de evaluación

• Observación directa durante prácticas simuladas.

• Grabaciones de sesiones clínicas para análisis posterior.

• Listas de verificación de comportamientos comunicativos clave.

• Evaluación 360° (compañeros, supervisores, subordinados).

Estrategias de formación continua para garantizar calidad asistencial

En un sistema en constante evolución, los equipos sanitarios necesitan planes estructurados de desarrollo profesional:

• Programas de desarrollo profesional continuo (DPC): obligatorios en muchos países para asegurar actualización clínica y comunicativa.

• Cursos online y e-learning: permiten entrenamiento flexible en comunicación clínica, liderazgo o ética.

• Entrenamientos periódicos obligatorios en emergencias: simulacros de reanimación, incendios hospitalarios o accidentes múltiples.

• Rotaciones interprofesionales: exponer a los profesionales a distintos equipos y funciones para aumentar la comprensión mutua.

• Revisión de incidentes críticos: convertir los errores en aprendizajes organizacionales.

Ejemplos de buenas prácticas en formación clínica

• Simulación de crisis obstétrica: en hospitales españoles se usan escenarios de hemorragia postparto para entrenar roles entre matronas, ginecólogos y anestesistas.

• Programas de comunicación en pediatría oncológica: entrenan a médicos y enfermeras en dar malas noticias y acompañar procesos de duelo.

• Sesiones de debriefing en urgencias: tras guardias caóticas, breves reuniones para analizar puntos de mejora en comunicación.

Resultados mostrados en estudios: reducción de eventos adversos, mejora en la satisfacción profesional y descenso significativo de conflictos interpersonales.

Ejercicios prácticos

1. Role-playing de malas noticias: en parejas, practicar cómo informar un fallecimiento aplicando el modelo SPIKES, con retroalimentación posterior.

2. Checklist comunicativo en simulación: diseñar una lista de verificación de actitudes comunicativas (tono, claridad, escucha activa) para aplicar en entrenamientos clínicos.

3. Diálogo grabado y analizado: registrar una sesión simulada de triaje y evaluarla colectivamente.
4. Plan personal de mejora: cada participante establece 3 objetivos comunicativos a trabajar en los próximos seis meses, con indicadores de seguimiento.

Conclusión
La formación en comunicación y liderazgo en equipos sanitarios no termina en la universidad. Es un proceso continuo que combina simulación, práctica reflexiva, feedback constructivo y aprendizaje interprofesional. Integrar estas dinámicas garantiza no solo el desarrollo de profesionales más competentes, sino organizaciones más seguras, humanas y adaptables.

Capítulo 11.

Comunicación de Malas Noticias y Solicitud de Donación de Órganos

Comunicar malas noticias es uno de los retos más difíciles y al mismo tiempo inevitables en la práctica sanitaria.

Informar a una familia sobre el fallecimiento de un ser querido o abordar la posibilidad de una donación de órganos exige no solo destrezas comunicativas, sino también sensibilidad, preparación y acompañamiento humano. La forma en que se transmite la noticia puede influir profundamente en el duelo de la familia, en la confianza hacia el equipo de salud y en la disposición a tomar decisiones trascendentes.

Este capítulo está orientado a dotar a los profesionales de herramientas para afrontar estas conversaciones con respeto, empatía y claridad.

Principios básicos en la comunicación de malas noticias
1. Preparación del entorno
o Elegir un lugar privado, sin interrupciones ni ruido.
o Sentarse a la altura de los familiares, evitando barreras físicas.
2. Lenguaje claro y honesto
o Evitar tecnicismos y frases ambiguas ("se fue", "descansó").
o Utilizar palabras directas pero cuidadosas: "Ha fallecido".
3. Empatía y acompañamiento
o Reconocer el impacto emocional del mensaje.
o Permitir silencios, dar tiempo para procesar y no interrumpir la reacción inicial.
4. Disponibilidad
o No apresurar la conversación.
o Ofrecer información ampliada cuando los familiares estén listos.

El protocolo SPIKES en fallecimientos

El modelo SPIKES, ya citado en capítulos previos, es especialmente útil para la comunicación de malas noticias, en particular de fallecimientos:

- S (Setting): generar un contexto íntimo y digno.
- P (Perception): explorar lo que ya sospechan o saben los familiares ("¿Qué información tienen hasta ahora?").
- I (Invitation): preguntar cuánto desean saber en ese momento.
- K (Knowledge): comunicar con claridad: "Lamentablemente, a pesar de todos los esfuerzos realizados, su padre ha fallecido".
- E (Emotions): dar espacio a llanto, ira o silencio. Validar las emociones: "Entiendo lo duro de este momento".
- S (Summary/Strategy): acompañar con próximos pasos (documentación, despedida, apoyo psicológico).

Momentos críticos en la comunicación del fallecimiento

- Reacciones emocionales intensas: llanto, negación, agresividad verbal. El profesional debe mantener calma y respeto.
- Preguntas repetitivas: responder varias veces con paciencia sin mostrar irritación.
- Culpabilización: entender que la rabia forma parte del duelo; reafirmar que se hizo todo lo posible.
- Diversidad cultural y religiosa: respetar costumbres de duelo y adaptarse dentro de lo posible.

Comunicación sobre la donación de órganos

Una de las conversaciones más delicadas se da cuando se solicita a una familia la donación de órganos tras el fallecimiento de un paciente.

Principios clave
• Separar los tiempos: primero comunicar el fallecimiento con claridad y empatía; solo después introducir la posibilidad de donación.
• Claridad sobre la muerte encefálica o parada cardiaca irreversible: explicar el concepto y la irreversibilidad del estado.
• Equipo especializado: lo ideal es que la entrevista la realicen coordinadores de trasplantes entrenados en comunicación sensible.
• Respetar el ritmo familiar: escuchar sus miedos, dudas y creencias.
• Reforzar el valor altruista: la donación puede dar vida a otros, convirtiéndose en un legado significativo.
Estrategia de comunicación para la solicitud
1. Confirmar que la familia ha comprendido la realidad del fallecimiento.
2. Presentar la donación como una opción, nunca como imposición.
3. Explicar con sencillez el proceso: anonimato de receptores, garantías médicas, respeto al cuerpo.
4. Responder dudas frecuentes: mitos sobre mutilación, sufrimiento o trato indigno.
5. Respetar siempre la decisión final, sea afirmativa o negativa.
Ejemplo práctico

Caso real de entrevista de donación

Un joven de 22 años fallece por traumatismo craneoencefálico. Tras confirmar muerte encefálica y dar tiempo a los padres para procesar la noticia, el coordinador de trasplantes se presenta:

• Explica de nuevo el concepto de muerte encefálica.

• Reconoce el dolor de los padres y se solidariza con su pérdida.

• Plantea suavemente: "En estos momentos tan difíciles, existe la posibilidad de que una parte de su hijo siga dando vida a otras personas a través de la donación de órganos. Sabemos que es una decisión muy delicada y respetaremos lo que decidan".

• Responde a sus dudas sobre la integridad del cuerpo y el proceso quirúrgico.

• Los padres aceptan, agradeciendo la sensibilidad en la forma de plantearlo.

Ejercicios prácticos

1. Role-playing de mala noticia: practicar en grupos cómo informar el fallecimiento de un paciente a familiares. Analizar postura corporal, tono de voz y claridad del mensaje.

2. Simulación de entrevista de donación: escenificar el proceso entre un equipo sanitario y unos "familiares" simulados, con retroalimentación sobre empatía y claridad.

3. Revisión personal de experiencias: los sanitarios escriben una situación real en la que hayan comunicado un fallecimiento, analizando qué funcionó bien y qué pudo mejorarse.

4. Taller intercultural: discutir cómo diferentes religiones y culturas perciben la muerte y la donación para ajustar la comunicación de acuerdo con cada contexto.

Conclusión

Comunicar la muerte de un paciente o pedir la donación de órganos es un acto humano de máxima trascendencia. Más allá de la técnica, requiere respeto, sensibilidad y acompañamiento. La clave es ofrecer claridad en la información, empatía ante el sufrimiento y apoyo en la toma de decisiones. Cuando se abordan estas conversaciones con humanidad, se facilita un duelo más saludable y, en muchos casos, se abre la oportunidad de transformar la pérdida en esperanza para otros a través de la donación.

Capítulo 12.

Gestión y Resolución de Conflictos dentro del Equipo Sanitario

La dinámica de trabajo en equipos sanitarios es intensa y puede generar conflictos debido a la alta presión, el estrés, las diferencias profesionales y las situaciones clínicas críticas. Una gestión eficaz y rápida de estos conflictos es imprescindible para mantener un ambiente laboral saludable, garantizar la calidad asistencial y preservar la seguridad del paciente. Este capítulo profundiza en la identificación, manejo y resolución de conflictos internos en distintos escenarios sanitarios: urgencias hospitalarias, unidades de cuidados intensivos (UCI) y emergencias extrahospitalarias.

Características de los conflictos en equipos sanitarios
Los conflictos pueden surgir por:
• Diferencias en criterios clínicos.
• Solapamiento o desconocimiento de roles.
• Tensión derivada de carga laboral y turnos estresantes.
• Problemas interpersonales o estilos de trabajo incompatibles.
• Falta de comunicación eficiente o malentendidos.
Reconocer estas causas es clave para intervenir adecuadamente.

Gestión de conflictos en urgencias hospitalarias
Contexto
Urgencias hospitalarias es un entorno de alta rotación y presión constante. El ritmo acelerado, la sobrecarga de pacientes y la necesidad de decisiones inmediatas promueven situaciones conflictivas.

Ejemplo de conflicto

Un médico y una enfermera discrepan sobre la prioridad de atención de un paciente crítico. El médico percibe que la enfermera no administra los tratamientos con suficiente rapidez, mientras que la enfermera siente que el médico ignora su carga de trabajo y dificultades.

Estrategias de resolución

• Intervención rápida del jefe de guardia para mediar.

• Facilitar un espacio breve para expresar ambas perspectivas.

• Reforzar la comunicación clara y el respeto mutuo.

• Establecer protocolos de prioridad compartidos para evitar confusiones futuras.

• Programar sesiones de feedback en equipo para mejorar la colaboración.

Gestión de conflictos en unidades de cuidados intensivos (UCI)

Contexto

La UCI es un espacio donde se toman decisiones de vida o muerte, con alta carga emocional y tecnológica, y equipos multidisciplinares muy especializados.

Ejemplo de conflicto

Existen disensiones entre el intensivista y el equipo de enfermería sobre el manejo de un paciente en estado crítico. El intensivista insiste en un tratamiento agresivo, mientras el equipo de enfermería expresa preocupaciones éticas y de calidad de vida.

Estrategias de resolución

• Convocar una reunión de equipo multidisciplinar incluyendo a psicólogos o comité ético si es necesario.

- Fomentar la escucha activa para comprender los argumentos clínicos y emocionales.
- Priorizar la toma de decisiones compartidas consensuadas, apoyadas en evidencia clínica y valores centrados en el paciente.
- Documentar acuerdos y responsabilidades para evitar ambigüedades.
- Utilizar rondas clínicas como espacios regulares para prevenir acumulación de tensiones.

Gestión de conflictos en emergencias extrahospitalarias
Contexto
Equipos que operan en ambulancias o en el terreno enfrentan situaciones imprevistas, con recursos limitados y alta dependencia del trabajo coordinado.
Ejemplo de conflicto
Durante un traslado crítico, un técnico en emergencias sanitarias (TES) y un enfermero discrepan sobre la técnica de inmovilización del paciente, generando tensión que pone en riesgo la seguridad durante el traslado.
Estrategias de resolución
- Aplicar protocolos claros y estandarizados que definan roles y responsabilidades.
- Fomentar la comunicación asertiva y el respeto, priorizando la seguridad del paciente.
- Capacitación conjunta en manejo de conflictos y trabajo en equipo.
- Implementar reuniones breves post-intervención (debriefing) para analizar y resolver discrepancias.
- Mantener canales abiertos para diálogo continuo y mejora de procedimientos.

Técnicas generales para la resolución de conflictos

1. Escucha activa y empatía: comprender el punto de vista del otro sin prejuzgar.
2. Comunicación asertiva: expresar opiniones y necesidades claramente, sin agresión.
3. Búsqueda de soluciones conjuntas: trabajar en equipo para encontrar estrategias que beneficien a todos.
4. Gestión emocional: controlar el estrés y las emociones en la conversación.
5. Mediación y facilitación: recurrir a un tercero neutral cuando el conflicto se prolonga.

Ejercicios prácticos

1. Role-playing de conflicto en urgencias: simular desacuerdos sobre prioridades y practicar resolución a través de diálogo y mediación.
2. Mesa redonda en UCI: discutir casos clínicos con disenso y practicar toma de decisiones compartidas.
3. Debriefing en emergencias extrahospitalarias: analizar un caso real o simulado donde hubo conflicto, identificando causas y soluciones.
4. Autodiagnóstico de estilos conflictivos: cada miembro identifica sus propias reacciones ante conflictos y propone estrategias para mejorar.

Conclusión

Los conflictos en equipos sanitarios son inevitables pero gestionables. La clave está en abordarlos con prontitud, respeto y apertura hacia la comunicación constructiva. Adaptar estrategias al contexto específico —urgencias, UCI, emergencias extrahospitalarias— potencia la cohesión, reduce el estrés y mejora la calidad asistencial. Un equipo saludable es el mejor aliado para el bienestar de pacientes y profesionales.

Capítulo 13.

Gestión de Conflictos con el Paciente Hostil

El conflicto con pacientes que muestran conductas hostiles o agresivas es un desafío frecuente en el ámbito sanitario.

Estas situaciones no solo afectan la calidad asistencial, sino que también ponen en riesgo la seguridad física y emocional del equipo sanitario. La gestión adecuada de estas conductas requiere una combinación de habilidades comunicativas, estrategias de desescalada y protocolos claros para proteger a todos los implicados.

Este capítulo ofrece un enfoque integral para reconocer, prevenir y manejar conflictos con pacientes hostiles, respaldado en técnicas de comunicación efectiva y la promoción de un ambiente seguro.

Características del paciente hostil

La hostilidad puede manifestarse de varias formas:

• Verbal: gritos, insultos, amenazas.
• No verbal: gestos intimidantes, tensión corporal, invasión del espacio personal.
• Física: agresiones, intentos de violencia.

Las causas habituales incluyen:

• Dolor o malestar físico intenso.
• Ansiedad, miedo o frustración.
• Trastornos psiquiátricos o consumo de sustancias.
• Percepción de falta de atención o injusticia.

Reconocer estas causas ayuda a responder con empatía y no con confrontación.

Prevención y señales de alerta

Prevención

• Mantener un ambiente tranquilo y ordenado.
• Claridad en la información y expectativas del paciente.

- Involucrar al paciente en decisiones cuando sea posible.
- Formación del equipo en habilidades de comunicación y manejo de crisis.

Señales de alerta
- Cambios bruscos en el tono o lenguaje corporal.
- Comentarios desafiantes o con sarcasmo.
- Tensión muscular, mirada fija.
- Paciente que ronda o invade el espacio personal.

Estrategias para la gestión del conflicto

Comunicación verbal
- Hablar con voz baja, tono calmado pero firme.
- Utilizar frases en primera persona: "Entiendo que está molesto…"
- Evitar confrontar o corregir agresivamente.
- Ofrecer opciones: "¿Prefiere que le explique o quiere un momento para calmarse?"

Comunicación no verbal
- Mantener distancia segura.
- Evitar gestos amenazantes o bruscos.
- Postura abierta pero preparada para una retirada segura.
- Mantener contacto visual sin intimidar.

Técnicas de desescalada
- Validar emociones sin justificar actitudes inapropiadas: "Comprendo que esta situación sea frustrante."
- Redirigir la conversación hacia soluciones: "Vamos a buscar la mejor forma de ayudarle."

- Usar distractores verbalmente para romper el ciclo de tensión.
- Solicitar ayuda discreta si la situación se agrava (seguridad, compañeros).

Protocolos para pacientes con riesgo de violencia
- Tener un plan de acción sólido, conocido por todo el equipo.
- Evitar estar solo con el paciente en situaciones de riesgo.
- Facilitar vías de evacuación seguras para el personal.
- Documentar claramente incidentes de violencia.
- En casos extremos, utilizar criterios legales y solicitar intervención policial si es necesario.

Apoyo al equipo sanitario
El impacto emocional tras un episodio hostil puede ser significativo:
- Facilitar espacios de desahogo y análisis (debriefing).
- Ofrecer apoyo psicológico si se requiere.
- Promover formación continua en manejo de agresividad.

Ejemplo práctico
Situación: Paciente con dolor abdominal intenso se muestra amenazante tras esperar 30 minutos en urgencias.
Respuesta:
- El profesional se aproxima manteniendo distancia, con tono calmado: "Veo que está muy incómodo y entiendo su enfado."

- Ofrece información clara: "Estamos haciendo todo lo posible para atenderle rápido."
- Pregunta si desea algo mientras espera ("¿Quiere que le traiga agua, o que alguien le acompañe?").
- Si la tensión persiste, pide discretamente refuerzos para acompañar la consulta.

Ejercicios prácticos
1. Role-playing de desescalada: simular un paciente hostil con un compañero que debe aplicar técnicas de comunicación calmada y validación emocional.
2. Análisis de caso real: revisar un incidente reportado de agresión verbal en atención primaria, identificar fallos y mejores prácticas.
3. Plan personal de seguridad: cada profesional plantea cómo actuaría ante un paciente agresivo, incluyendo vías de escape y solicitud de ayuda.
4. Taller de empatía: ejercicios para ponerse en la situación del paciente frustrado y reflexionar sobre respuestas empáticas.

Conclusión
Gestionar conflictos con pacientes hostiles es una competencia esencial para proteger tanto a los profesionales como a los usuarios del sistema de salud. La combinación de habilidades comunicativas, anticipación de señales, protocolos claros y apoyo emocional al equipo contribuye a convertir situaciones potencialmente violentas en oportunidades para restablecer la confianza y el respeto mutuo. La seguridad, la calma y la empatía son los pilares para una atención sanitaria segura y respetuosa.

Capítulo 14.

Estrategias Avanzadas en Seguridad en Entornos Sanitarios

La seguridad en los entornos sanitarios va mucho más allá de la prevención de errores clínicos; incluye la protección física y psicológica de pacientes, profesionales y visitantes. Con la creciente complejidad de la atención, la presión asistencial y la diversidad de amenazas, es imprescindible implementar estrategias avanzadas que combinen tecnología, formación, protocolos claros y cultura organizacional para garantizar un ambiente seguro y resiliente.

Este capítulo presenta un enfoque integral y actualizado con las mejores prácticas en seguridad, abordando desde el control de violencia hasta la gestión de riesgos tecnológicos y emergencias internas.

Seguridad física y prevención de violencia
Protocolos de prevención de agresiones
• Evaluación de riesgos en áreas críticas (urgencias, UCIs, psiquiatría).
• Sistemas de alerta temprana: desde botones de pánico hasta cámaras de vigilancia discreta.
• Formación especializada en manejo y desescalada de conductas agresivas para todo el personal.
• Políticas claras de cero tolerancia y apoyo legal a víctimas de agresión.
Diseño del espacio seguro
• Zonas de espera con vigilancia y control de acceso.
• Señalización clara para evitar confusión y aglomeraciones.

• Barreras físicas y espacios de protección para profesionales en contacto estrecho.

Seguridad informática y protección de datos

Protección de la información clínica

• Uso obligatorio de plataformas cifradas para transmisión de datos.

• Políticas estrictas de acceso basado en roles y autenticación multifactorial.

• Auditorías periódicas para detectar vulnerabilidades.

• Formación a profesionales en ciberseguridad y buenas prácticas digitales.

Respuesta a incidentes de ciberseguridad

• Protocolos para aislamiento y recuperación rápida ante ataques (ransomware, phishing).

• Comunicación transparente con usuarios afectados.

• Cooperación con autoridades y otros centros para compartir información.

Gestión de riesgos clínicos y eventos adversos

Sistemas de notificación voluntaria

• Canales accesibles y no punitivos para reportar incidentes o cuasi incidentes.

• Análisis sistemático con enfoque en causas raíz.

• Comunicación de lecciones aprendidas a todos los niveles del equipo.

Planes de contingencia

• Protocolos para manejo de fallos técnicos (equipos, suministro eléctrico).

• Simulacros periódicos para eventos inesperados (incendios, derrames químicos).

- Equipos multidisciplinares para gestión rápida y eficiente de crisis internas.

Formación avanzada y cultura de seguridad
Programas de capacitación continuos
- Talleres de comunicación asertiva y trabajo en equipo para prevenir errores.
- Simulación de escenarios críticos donde la seguridad es clave.
- Formación en habilidades de resiliencia y gestión emocional para personal en alto estrés.

Cultura de seguridad organizacional
- Promoción de liderazgo que fomente apertura y reporte de errores.
- Integración de la seguridad como valor central en misión y objetivos.
- Reconocimiento público de buenas prácticas y mejoras en seguridad.

Uso de tecnologías innovadoras para seguridad
- Sistemas de monitoreo inteligente: sensores y cámaras con IA para detectar movimientos inusuales o conflictos.
- Apps móviles para emergencias: permitir alerta rápida y geolocalización del personal en riesgo.
- Realidad virtual para entrenamiento: simular situaciones violentas o emergencias sin riesgo real.
- Blockchain para seguridad de datos clínicos: garantizar la inmutabilidad y trazabilidad de la información.

Ejercicios prácticos

1.   Simulación de incidente violento: entrenar protocolos de activación de alerta y desescalada con profesionales y seguridad.

2.   Auditoría de ciberseguridad básica: realizar revisión grupal de prácticas digitales en el centro y proponer mejoras.

3.   Análisis de caso de evento adverso: estudiar un fallo real, identificar causas y planificar acciones correctoras.

4.   Dinámica de liderazgo en seguridad: evaluación de comportamientos que promueven cultura segura en equipos.

Conclusión

La seguridad avanzada en entornos sanitarios es un compromiso colectivo que exige formación, tecnología y cultura organizativa. Los riesgos actuales desafían a los equipos a estar preparados no solo para proteger vidas, sino también para crear espacios donde los profesionales se sientan seguros, valorados y apoyados. Adoptar estas estrategias garantiza una atención sanitaria más segura, humana y sostenible.

Capítulo 15.

Estrategias para Fortalecer la Resiliencia Grupal en Equipos Sanitarios

Los equipos sanitarios enfrentan de forma recurrente situaciones de alta presión, estrés prolongado, sufrimiento y adversidad. La resiliencia grupal es la capacidad colectiva para adaptarse, recuperarse y salir fortalecidos de estas circunstancias desafiantes. No solo depende de la fortaleza individual, sino también de la calidad de las relaciones, la comunicación efectiva, el liderazgo y el apoyo mutuo dentro del equipo.

Este capítulo aborda estrategias prácticas para fomentar la resiliencia grupal, que contribuyen a mantener la salud mental, mejorar el trabajo conjunto y optimizar la atención al paciente.

Comprendiendo la resiliencia grupal
La resiliencia grupal implica:
•   Apoyo emocional mutuo entre los miembros.
•   Flexibilidad en roles y tareas según las demandas del momento.
•   Comunicación abierta y honesta.
•   Capacidad para aprender colectivamente de errores y crisis.
•   Sentido compartido de propósito y pertenencia.
Fortalecer esta resiliencia reduce el burnout, mejora el rendimiento y promueve equipos más cohesivos y adaptativos.

Estrategias clave para fortalecer la resiliencia grupal
1. Fomentar la comunicación abierta y segura

- Crear espacios regulares para la discusión de emociones y experiencias.
- Promover la expresión sin juicios ni represalias.
- Facilitar reuniones debriefing tras eventos estresantes para compartir aprendizajes.

2. Establecer roles claros y flexibilidad
- Definir responsabilidades pero permitir rotaciones para evitar la monotonía y la sobrecarga.
- Potenciar habilidades múltiples para que el equipo pueda adaptarse a cambios imprevistos.

3. Promover el apoyo social
- Incentivar el compañerismo y la solidaridad, actos simples de ayuda.
- Crear redes informales de apoyo dentro del equipo.
- Facilitar la accesibilidad a recursos de ayuda psicológica o coaching grupal.

4. Liderazgo resiliente
- Líderes que transmitan calma, acompañen y validen emociones.
- Estimular la participación en la toma de decisiones.
- Ser ejemplo en autocuidado y manejo emocional.

Ejercicios para fortalecer la resiliencia grupal
1. Reuniones debriefing regulares: reuniones cortas tras cada turno donde se reflexiona sobre dificultades y aciertos.
2. Dinámicas de confianza: ejercicios grupales donde cada uno comparte fortalezas y desafíos personales.
3. Plan de autocuidado grupal: diseñar con el equipo actividades que fomenten el bienestar (ej. pausas activas, mindfulness colectivo).

4. Talleres formativos conjuntos: capacitación en gestión del estrés, comunicación asertiva y manejo emocional.

Ejemplo aplicado: equipo de UCI durante pandemia
Un equipo multidisciplinar de una UCI elaboró un calendario semanal donde rotaban roles, incluían pausas activas, compartían sesiones cortas de mindfulness y creaban grupos de apoyo para intercambiar preocupaciones. El liderazgo facilitaba espacios para expresar emociones sin juicio y promovía reconocimiento público de esfuerzos. Como resultado, redujeron índices de burnout y mejoraron la percepción de apoyo mutuo.

Indicadores de resiliencia grupal saludable
• Alta cohesión y baja rotación de personal.
• Comunicación fluida y respetuosa.
• Capacidad para enfrentar crisis sin desintegrarse.
• Clima laboral positivo y apoyo mutuo perceptible.
• Satisfacción profesional y menor estrés percibido.

Conclusión
La resiliencia grupal no es innata ni automática. Se construye con intencionalidad y prácticas constantes que fomentan el apoyo, la comunicación y un liderazgo sensible. Equipos resilientes no solo sobreviven a las crisis, sino que aprenden, evolucionan y mejoran la atención a los pacientes. Fomentar esta capacidad es una inversión imprescindible para la salud y sostenibilidad de cualquier organización sanitaria.

Capítulo 16.

Técnicas de Autocuidado y Bienestar Individual para Profesionales Sanitarios

El bienestar individual de los profesionales sanitarios es un pilar fundamental para garantizar una atención de calidad y un entorno laboral saludable. El elevado estrés, la exposición constante al sufrimiento y la responsabilidad que conlleva cuidar vidas pueden generar desgaste físico y emocional, afectando la salud personal y profesional. Implementar técnicas de autocuidado es clave para prevenir el burnout, mejorar la salud mental y potenciar el rendimiento.

Este capítulo ofrece un conjunto de estrategias prácticas para que los profesionales desarrollen hábitos de cuidado personal y mantengan un equilibrio saludable entre vida laboral y personal.

Importancia del autocuidado en profesionales sanitarios
•   Previene el agotamiento emocional, físico y cognitivo.
•   Mejora la capacidad para manejar el estrés y la presión cotidiana.
•   Favorece la empatía y la conexión con pacientes y compañeros.
•   Reduce errores médicos asociados a fatiga o distracción.
•   Promueve una cultura organizacional más saludable.

Técnicas básicas de autocuidado
1. Higiene del sueño
•   Priorizar 7-8 horas de sueño continuo siempre que sea posible, incluso en guardias.

• Crear rutinas de relajación previas a dormir (lectura, música suave).
• Evitar dispositivos electrónicos al menos 30 minutos antes de acostarse.

2. Alimentación equilibrada
• Mantener una dieta variada y regular.
• Hidratación constante durante el turno.
• Evitar cafeína y azúcares en exceso al final del día para mejorar el descanso.

3. Ejercicio físico regular
• Al menos 30 minutos diarios de actividad moderada.
• Pausas activas durante la jornada para reducir el sedentarismo y estrés.

4. Prácticas de relajación y mindfulness
• Respiración profunda y consciente en momentos de tensión.
• Meditación guiada o mindfulness para mejorar la atención plena y reducir ansiedad.
• Técnicas de visualización positiva para manejar emociones negativas.

Técnicas específicas para entornos de alta presión
1. Técnica del "Stop-Reset-Go"
• Stop: reconocer cuando la tensión emocional aumenta.
• Reset: realizar respiración profunda y breve pausa mental.
• Go: retomar las tareas con calma y enfoque renovados.

2. Estrategias cognitivas

• Reestructuración cognitiva: identificar pensamientos negativos y reemplazarlos por otros más realistas y constructivos.
• Establecimiento de pequeños objetivos alcanzables para evitar sensación de desbordamiento.
3. Uso de apoyo social
• Compartir experiencias y emociones con compañeros de confianza.
• Participar en grupos de ayuda o coaching para profesionales sanitarios.

Prevención y manejo del burnout
• Reconocer signos tempranos: irritabilidad, fatiga crónica, desapego emocional.
• Establecer límites claros entre el trabajo y la vida personal.
• Solicitar ayuda profesional cuando sea necesario (psicólogo o psiquiatra).
• Fomentar pausas activas y tiempo libre reparador.

Ejercicios prácticos
1. Diario de autocuidado: registrar durante una semana hábitos de sueño, alimentación, ejercicio y momentos de relajación.
2. Práctica diaria de mindfulness: 5-10 minutos de respiración consciente al inicio o final del turno.
3. Técnica "Stop-Reset-Go" aplicada: identificar en el día una situación estresante y practicar la técnica.
4. Red de apoyo: organizar pequeños grupos de trabajo para compartir emociones y estrategias de autocuidado.

Conclusión

El autocuidado no es un lujo ni una carga adicional, sino una necesidad vital para quienes cuidan a otros. Los profesionales sanitarios que cuidan de sí mismos están mejor equipados para ofrecer una atención compasiva, segura y de calidad. Construir hábitos saludables, aprovechar el apoyo social y saber gestionar el estrés son herramientas esenciales para una carrera sanitaria sostenible y plena.

Capítulo 17.

Abordaje del Paciente Autolítico

El manejo de pacientes con conductas autolíticas representa un desafío clínico y ético para los profesionales de la salud. Estas situaciones requieren un enfoque integral que combine habilidades de comunicación empática, evaluación clínica rigurosa y coordinación interdisciplinaria para garantizar la seguridad del paciente y ofrecer un acompañamiento respetuoso y efectivo.

Este capítulo proporciona estrategias para la detección temprana, la comunicación asertiva, la prevención de riesgos y la intervención terapéutica en casos de conducta autolítica.

Comprendiendo la conducta autolítica

La conducta autolítica se caracteriza por la intención de causarse daño a sí mismo, que puede ir desde gestos superficiales hasta intentos graves de suicidio. Los factores que la motivan incluyen:

• Trastornos psiquiátricos (depresión, trastorno límite de la personalidad, psicosis).
• Estrés emocional intenso y situaciones de crisis.
• Sentimientos de desesperanza, culpa o inutilidad.
• Factores sociales y ambientales: aislamiento, conflictos familiares, abuso.

Reconocer esta conducta como una expresión de padecimiento profundo es fundamental para abordarla con sensibilidad y eficacia.

Evaluación clínica del paciente autolítico
Componentes esenciales

- Valoración del riesgo de suicidio: intencionalidad, planificación, accesibilidad a medios, historia previa.
- Estado mental: nivel de conciencia, orientación, presencia de delirios o alucinaciones.
- Factores de apoyo: red familiar, recursos sociales.
- Motivación para tratamiento: disposición y expectativas.

Herramientas de evaluación comunes
- Entrevistas estructuradas.
- Escalas estandarizadas (Columbia-Suicide Severity Rating Scale – C-SSRS).

Comunicación efectiva con el paciente autolítico
- Abordar sin juzgar ni minimizar sentimientos.
- Utilizar lenguaje claro, tranquilo y empático.
- Facilitar la expresión de emociones y pensamientos suicidas.
- Evitar promesas que no se puedan cumplir, pero ofrecer esperanza realista.
- Informar sobre los recursos disponibles y el plan de acción a seguir.

Técnicas para reducir la tensión y la impulsividad
- Técnicas de regulación emocional: respiración profunda, distracciones saludables, mindfulness.
- Intervenciones breves de psicoterapia centradas en la crisis (terapia dialéctica conductual, terapia cognitivo-conductual).
- Asegurar un entorno seguro: retirar objetos peligrosos y supervisar ante riesgo elevado.

Coordinación interdisciplinaria y derivación
•	Involucrar psiquiatría, psicología clínica, trabajadores sociales y enfermería especializada.
•	Establecer protocolos claros de ingreso hospitalario para casos graves.
•	Promover continuidad asistencial y seguimiento ambulatorio.
•	Facilitar el apoyo familiar y educar sobre signos de alerta.

Manejo en urgencias y hospitalización
•	Priorizar la seguridad física e inmediata.
•	Evaluar necesidad de contención mecánica o farmacológica solo si es estrictamente necesaria y de forma ética.
•	Planificar alta con redes sociales activas y citas tempranas.
•	Documentar todos los aspectos clínicos, decisiones y comunicación con familiares.

Ejemplo práctico
Un paciente joven llega a urgencias tras un intento de autolesión con cortes superficiales. El equipo sanitario:
•	Evalúa el riesgo suicida con C-SSRS.
•	Mantiene comunicación empática, preguntando sobre motivos y expresiones emocionales.
•	Proporciona apoyo in situ y coordinación para atención psiquiátrica inmediata.
•	Informa a la familia con consentimiento del paciente y promueve su participación en el apoyo.

Ejercicios prácticos

1. Simulación de entrevista clínica: practicar con un paciente ficticio con conducta autolítica, enfocándose en la evaluación del riesgo y comunicación empática.

2. Análisis de caso: estudiar un caso real y diseñar un plan interdisciplinar de manejo y seguimiento.

3. Técnicas de autocuidado para profesionales: reflexión y práctica para evitar desgaste emocional y desarrollar resiliencia ante estas situaciones difíciles.

Conclusión

El abordaje del paciente autolítico requiere un equilibrio entre la atención clínica rigurosa y la humanidad al escuchar. La detección temprana, la comunicación no confrontativa y la acción coordinada son esenciales para salvar vidas y acompañar procesos de recuperación. El equipo sanitario debe estar preparado, capacitado y respaldado para enfrentar este desafío con profesionalismo y sensibilidad.

Capítulo 18.

Abordaje del Paciente que ha Sufrido Violencia de Género

La violencia de género es una problemática grave y extendida que afecta la salud física, psicológica y social de las personas, en especial las mujeres. Los profesionales sanitarios se encuentran en primera línea para detectar, atender y acompañar a pacientes víctimas de esta violencia. Un abordaje sensible, integral y respetuoso es clave para garantizar la seguridad, promover la denuncia y facilitar la recuperación.

Este capítulo ofrece estrategias para la identificación, comunicación, apoyo y derivación adecuada de pacientes que han sufrido violencia de género.

Reconocimiento y detección de la violencia de género
Señales de alarma frecuentes
• Lesiones físicas recurrentes o de diversa etiología.
• Síntomas psicosomáticos: ansiedad, depresión, insomnio, dolor crónico.
• Conductas evasivas o miedo a acompañantes.
• Expresiones verbales indirectas sobre miedo o conflictos en el hogar.
• Retraimiento o negación de problemas.
Herramientas de detección
• Entrevistas confidenciales y directas adaptadas culturalmente.

• Uso de protocolos estandarizados como la herramienta de cribado (AUDIT, WAST).

Comunicación empática y segura
• Garantizar privacidad total durante la entrevista.
• Mostrar actitud no juiciosa y validar emociones.
• Preguntar de manera directa pero respetuosa ("¿Se siente alguna vez amenazada por su pareja?").
• Ser paciente y permitir que el paciente decida cuándo y qué contar.
• Informar sobre derechos y opciones sin presionar decisiones.

Apoyo integral y multidisciplinar
• Coordinación con psicología, trabajo social, servicios legales y policiales.
• Ofrecer información sobre recursos de apoyo (refugios, líneas de ayuda, asesoría legal).
• Facilitar el acceso a programas de protección y seguimiento clínico continuado.
• Respetar ritmo y autonomía del paciente en la toma de decisiones.

Protocolos para la atención en urgencias y centros de salud
• Priorizar seguridad física y emocional inmediata.
• Documentar lesiones y recoger pruebas siguiendo protocolos legales sin revictimización.
• Garantizar atención médica completa (tratamiento físico y psicológico).
• Facilitar denuncias si el paciente así lo desea, con respeto a su voluntad.

- Evitar juicios o comentarios que minimicen la experiencia.

Autocuidado del profesional y prevención de la revictimización
- Mantener sensibilidad y formación constante en perspectiva de género.
- Evitar preguntas reiterativas o innecesarias.
- Recoger información con empatía y respeto.
- Reconocer la posible carga emocional y solicitar apoyo psicológico si es necesario.

Ejemplo práctico
Una mujer consulta tras múltiples visitas por dolores crónicos y ansiedad. En una consulta privada, el profesional utiliza preguntas dirigidas y un lenguaje abierto para detectar violencia de género. Tras validar su experiencia, le informa sobre recursos disponibles y planifica derivación con consentimiento.

Ejercicios prácticos
1. Simulación de entrevista: practicar en entorno controlado la detección y comunicación con paciente víctima de violencia de género.
2. Revisión de protocolos: analizar y adaptar protocolos locales para atención y derivación.
3. Taller de autocuidado profesional: estrategias para mantener salud emocional en atención a víctimas.
4. Análisis de caso: desarrollar planes integrales de intervención multidisciplinar.

Conclusión

El abordaje sanitario de la violencia de género es un compromiso ético y social. Mediante una comunicación respetuosa, detección temprana y apoyo integral, los equipos sanitarios pueden ofrecer esperanza y ayuda efectiva a personas vulnerables, contribuyendo a romper ciclos de violencia y promover su bienestar y seguridad.

Capítulo 19.

Abordaje de Víctimas de Violencia Sexual

La violencia sexual es una grave violación de los derechos humanos que deja profundas heridas físicas, emocionales y sociales. En el ámbito sanitario, los profesionales desempeñan un papel fundamental en la atención inmediata, la recogida de evidencias, el apoyo psicológico y la derivación a recursos especializados. Un abordaje sensible, respetuoso y protocolizado es esencial para proteger la dignidad y la seguridad de la víctima.

Este capítulo ofrece orientaciones para la correcta gestión clínica, comunicación y apoyo a víctimas de violencia sexual, minimizando la revictimización y promoviendo su recuperación integral.

Características del impacto de la violencia sexual
La violencia sexual puede producir:
• Traumatismos físicos (heridas, infecciones, embarazo no deseado).
• Secuelas psicológicas graves (trastorno de estrés postraumático, ansiedad, depresión).
• Efectos sociales y económicos: estigmatización, aislamiento, pérdida laboral.
El trauma es multidimensional y requiere una atención integral que contemple estos aspectos.

Valoración y atención clínica inmediata
Aspectos básicos a atender

- Garantizar privacidad y confidencialidad total del paciente.
- Atención médica urgente: exploración física cuidadosa por personal entrenado.
- Profilaxis para infecciones de transmisión sexual y anticoncepción de emergencia si es indicado.
- Recolección de muestras y evidencias siguiendo protocolos legales, cuidando de no aumentar el trauma.
- Evaluación y manejo del dolor y otras complicaciones físicas.

Comunicación sensible y empática
- Utilizar lenguaje claro, evitando tecnicismos médicos complejos.
- Escuchar sin juzgar, validando el sufrimiento y expresiones emocionales.
- Ofrecer control y opciones al paciente, respetando su ritmo y decisiones.
- Informar sobre derechos, procesos legales, opciones médicas y recursos disponibles.
- Asegurar acompañamiento emocional durante todo el proceso.

Coordinación interdisciplinaria y recursos disponibles
- Derivación a servicios de apoyo psicológico, psiquiátrico y social especializados.
- Activación de equipos forenses o unidades especializadas en atención a víctimas.
- Enlace con fuerzas y cuerpos de seguridad para facilitar denuncias, siempre respetando la autonomía de la víctima.

- Orientación sobre redes comunitarias, refugios y defensa legal.

Prevención de revictimización
- Evitar preguntas reiterativas o innecesarias que puedan generar ansiedad o culpa.
- Cumplir estrictamente con las normas de confidencialidad y respeto.
- Facilitar entornos seguros y libres de discriminación o estigmatización.
- Formación continua del personal sanitario en perspectiva de género y trauma.

Ejemplo práctico
Una mujer llega a urgencias tras agresión sexual reciente. El equipo:
- Le ofrece un espacio privado y presencia acompañante en quien confíe.
- Realiza anamnesis con lenguaje sencillo y cuidados para evitar angustia.
- Aplica protocolo clínico-forense para exploración y toma de muestras.
- Brinda profilaxis y planifica seguimiento médico y psicológico.
- Informa sobre derechos y opciones legales, respetando su autonomía.

Ejercicios prácticos
1. Simulación de atención: práctica en entorno seguro de atención clínica a víctima de violencia sexual.

2.   Revisión de protocolos forenses y éticos: análisis y mejora de procedimientos institucionales.

3.   Taller de comunicación empática: desarrollo de habilidades para entrevistas sensibles.

4.   Plan de autocuidado profesional: estrategias para evitar desgaste emocional del equipo.

Conclusión

El abordaje sanitario de víctimas de violencia sexual exige una respuesta clínica rigurosa y una actitud humana que proteja la dignidad y facilite la recuperación. La coordinación interdisciplinaria, el respeto absoluto por la víctima y la formación constante en trauma y perspectiva de género son imprescindibles para ofrecer una atención verdaderamente reparadora y segura.

Capítulo 20.

Abordaje del Paciente Pediátrico en la violencia vicaria

La violencia vicaria, también llamada violencia de género con impacto en menores, se refiere al daño psicológico, emocional o físico que sufre un niño o niña como consecuencia directa o indirecta de la violencia ejercida hacia uno de sus progenitores, generalmente la madre. El ámbito sanitario juega un rol crucial no solo en la detección temprana de esta violencia, sino también en el abordaje adecuado tanto del menor como del cuidador afectado.

Este capítulo aborda la comprensión de la violencia vicaria, su impacto en la salud pediátrica, y las estrategias específicas para una comunicación sensible y efectiva con pacientes pediátricos víctimas o expuestos a esta forma de violencia.

Comprendiendo la violencia vicaria
• Consiste en el sufrimiento que padecen los niños debido a la violencia ejercida hacia uno de sus padres o cuidadores.
• Puede manifestarse en maltrato directo, negligencia, manipulación emocional o exposición a episodios violentos.
• Impacta negativamente en el desarrollo emocional, cognitivo y físico del menor, con secuelas a corto y largo plazo.

Señales de sospecha en pacientes pediátricos

- Cambios conductuales súbitos: retraimiento, ansiedad, agresividad.
- Problemas escolares y de concentración.
- Síntomas psicosomáticos frecuentes: dolores abdominales, cefaleas.
- Dificultad para vincularse emocionales con adultos o iguales.
- Historias inconsistentes o ausencias frecuentes en controles médicos.

Comunicación adecuada con el paciente pediátrico
- Adaptar el lenguaje a la edad y nivel de desarrollo.
- Crear un ambiente seguro y de confianza, con presencia de un adulto de confianza cuando sea adecuado.
- Utilizar técnicas lúdicas y narrativas para facilitar la expresión de emociones y experiencias.
- Formular preguntas abiertas y neutrales, evitando presionar o inducir respuestas.
- Respetar la privacidad y el ritmo del menor, atendiendo signos de incomodidad.

Apoyo emocional y abordaje integral
- Facilitar la escucha activa y validar emociones sin juzgar.
- Involucrar a psicólogos infantiles y equipo multidisciplinar para evaluación y seguimiento.
- Coordinar con servicios sociales y protección de la infancia para asegurar la seguridad del menor.
- Planificar intervenciones terapéuticas adaptadas a la edad y necesidades específicas.

Comunicación con la familia y cuidadores
• Entrevistas separadas para cada miembro si es necesario, resguardando la confidencialidad.
• Informar sobre el impacto de la violencia vicaria y la importancia del apoyo psicosocial.
• Fomentar la participación activa de los cuidadores en el proceso terapéutico.
• Detectar riesgos de maltrato directo o negligencia y actuar conforme a protocolos legales.

Ejemplo práctico
Un niño de 8 años acude con síntomas recurrentes de cefalea y ansiedad, con antecedentes familiares de violencia de género. El profesional:
• Realiza entrevista lúdica para explorar emociones y experiencias.
• Detecta señales de miedo y aislamiento.
• Coordina derivación a psicología infantil y servicios sociales.
• Informa a la madre de apoyo terapéutico y recursos disponibles.

Ejercicios prácticos
1. Simulación de entrevista pediátrica: practicar comunicación adaptada con niños en situación vulnerable.
2. Análisis de señales clínicas y conductuales: identificación precoz de violencia vicaria.
3. Taller interdisciplinar: desarrollar planes de atención integral en equipos pediátricos y sociales.
4. Revisión de casos reales: aprendizaje de experiencias y mejores prácticas.

Conclusión

La violencia vicaria no solo afecta a la víctima directa de la violencia, sino también a los menores que conviven en ese entorno, dejando huellas profundas en su salud y desarrollo. Un abordaje atento, empático y multidisciplinar en el ámbito sanitario es vital para proteger a los niños, promover su recuperación y romper el ciclo de violencia. La comunicación adaptada y sensible con el paciente pediátrico es la puerta para ofrecerles seguridad, confianza y esperanza.

Conclusión General y Recomendaciones Finales del Manual

Este Manual de Comunicación Efectiva y Liderazgo en Equipos Sanitarios ha recorrido un amplio espectro de temas fundamentales para el desempeño óptimo de los profesionales de la salud en sus múltiples facetas: desde la comunicación clínica con pacientes hasta el liderazgo en crisis, la gestión emocional, el trabajo interdisciplinar, la seguridad y la formación continua.

Reflexión final

La esencia de una atención sanitaria de calidad reside en la comunicación efectiva y el liderazgo sensible. No basta con el conocimiento técnico, sino que hay que integrar habilidades humanas para comunicar, liderar y colaborar en entornos de alta complejidad y vulnerabilidad. La salud es un acto profundamente humano, y su éxito depende de equipos cohesionados, resilientes y capacitados para gestionarse a sí mismos y a sus emociones.

Recomendaciones finales para centros sanitarios
1. Implantar programas de formación continua interdisciplinar
• Fomentar entrenamientos regulares en comunicación clínica, liderazgo, gestión de conflictos y autocuidado.
• Incluir simulaciones y role-playing para reforzar habilidades prácticas.
2. Promover una cultura organizacional centrada en la seguridad y el bienestar
• Crear ambientes seguros para que los profesionales comuniquen errores o problemas sin miedo a represalias.
• Favorecer políticas de prevención de la violencia y agresiones.
• Asegurar apoyo psicológico accesible para el equipo.

3. Establecer protocolos claros y actualizados
• Protocolos de comunicación en emergencias, comunicación de malas noticias y trabajo multidisciplinar.
• Procedimientos para gestión de conflictos y toma de decisiones éticas.
• Planes de contingencia para incidentes críticos.
4. Fortalecer el liderazgo transformacional y resiliente

- Capacitar a líderes en habilidades emocionales, de comunicación y gestión de equipos.
- Promover estilos flexibles que adapten el liderazgo a las necesidades del contexto.

5. Incorporar tecnologías de forma responsable
- Utilizar plataformas digitales seguras y herramientas innovadoras para mejorar la comunicación sin perder el enfoque humano.
- Garantizar formación y soporte continuo para su uso adecuado.

6. Evaluar y mejorar continuamente
- Implementar indicadores de calidad en comunicación y liderazgo.
- Realizar encuestas de satisfacción y análisis de incidentes para detectar áreas de mejora.
- Fomentar una cultura del feedback constructivo y aprendizaje permanente.

Implementación práctica
- Crear un comité interdisciplinar responsable del diseño, seguimiento y evaluación de estas estrategias.
- Establecer objetivos medibles con plazos concretos para cada área de mejora.
- Difundir el manual y sus recursos entre todo el personal, con formatos accesibles y adaptados.
- Facilitar espacios regulares para el diálogo y la reflexión colectiva.

Conclusión definitiva

Invertir en la mejora continua de la comunicación y el liderazgo en equipos sanitarios es invertir en seguridad, calidad y humanidad en la atención. Este manual es una guía para avanzar en ese objetivo, transformando los conocimientos en práctica diaria y creando entornos donde pacientes y profesionales puedan desarrollarse en confianza, respeto y eficacia.

Anexo Práctico:

Guías y Frases Recomendadas para Comunicación de Malas Noticias y Solicitud de Donación de Órganos
Este anexo ofrece herramientas concretas para facilitar la comunicación en situaciones delicadas, como informar un fallecimiento y plantear la donación de órganos. La intención es apoyar a los profesionales para que puedan enfrentar estos momentos con confianza, empatía y claridad.

Guía para comunicar un fallecimiento
Preparación del entorno
• Buscar un lugar privado y tranquilo.
• Evitar interrupciones (poner el teléfono en silencio, avisar al personal).
• Sentarse a la altura de los familiares, mantener contacto visual sin ser invasivo.
Frases recomendadas para comunicar la noticia
• "Lamento mucho tener que comunicarles que su [familiar] ha fallecido."
• "Hicimos todo lo posible, pero no pudimos salvar su vida."
• "Sé que estas palabras son muy difíciles de escuchar."
• "Estoy aquí para acompañarles y responder a todas sus preguntas."
• "Tómense todo el tiempo que necesiten; no hay prisa."
Para acompañar la emoción

- "Es normal sentir [tristeza, dolor, rabia]. No están solos en esto."
- "Si desean, podemos llamar a un psicólogo o trabajador social que les apoye."
- "¿Quieren que permanezca con ustedes un rato?"
- "Pueden expresar sus sentimientos, está bien llorar o estar enfadados."

Guía para solicitar la donación de órganos
Introducción (tras comunicar fallecimiento)
- "Quisiera hablar con ustedes sobre una posibilidad que puede ayudar a salvar la vida de otras personas."
- "Entendemos que este es un momento muy duro, y la decisión es completamente suya."
- "La donación de órganos es una forma de dar vida y esperanza a quienes están esperando un trasplante."
Explicación básica y tranquilizadora
- "Su [familiar] ha fallecido de manera irreversible, y los órganos pueden ser útiles para otras personas."
- "El proceso de donación se realiza con el máximo respeto y cuidado."
- "No afectará la apariencia ni la dignidad del cuerpo."
- "El proceso médico y quirúrgico es seguro y ético."
Respuesta a dudas frecuentes
- "No sentirán dolor, pues el fallecimiento es irreversible."
- "Los receptores no conocerán la identidad de su ser querido, y ustedes tampoco a ellos."
- "Este acto es completamente voluntario, sin presiones."
Cierre respetuoso

- "¿Quieren que les dé más información o necesitan tiempo para pensar?"
- "Sea cual sea su decisión, la respetaremos y apoyaremos."
- "Gracias por considerar esta opción tan generosa."

Pautas para el profesional
- Mantener un tono calmado, pausado y claro.
- Utilizar siempre un lenguaje sencillo, evitando términos técnicos.
- Mostrar atención con el lenguaje corporal (mirada amable, inclinación hacia adelante).
- No interrumpir a los familiares mientras expresan su duelo.
- Repetir o reformular si no se percibe comprensión.
- Ofrecer apoyo psicológico o religioso si se dispone.

Ejemplo de diálogo en comunicar fallecimiento
Profesional: "Lamento mucho informarles que, a pesar de todos los esfuerzos, su padre ha fallecido."
Familiar: [Silencio, lágrimas]
Profesional: "Sé que es una noticia muy dura. Estoy aquí para acompañarles y apoyarles en lo que necesiten."
Familiar: "¿Qué pasó? ¿Podría haberse evitado?"
Profesional: "Hicimos todo lo posible, pero el daño fue demasiado severo. Si desean, puedo explicarles con más detalle."

Ejemplo de diálogo para pedir donación de órganos

Profesional: "Quiero hablarles sobre una oportunidad para ayudar a otras personas en un momento difícil como este."

Familiar: "¿De qué se trata?"

Profesional: "Algunos órganos de su hijo podrían salvar la vida de pacientes que están esperando un trasplante. Por supuesto, entendemos que es una decisión personal."

Familiar: "¿Cómo se hace eso? ¿No sufrirá?"

Profesional: "El proceso se realiza con máximo respeto y sin causar ningún dolor, ya que su fallecimiento es irreversible."

Familiar: "Necesitamos tiempo para pensar."

Profesional: "Por supuesto, tómense el tiempo que necesiten. Estamos aquí para responder a todas sus preguntas."